UN VIOL ORDINAIRE

De la même auteure

Vous croyez tout savoir sur le sexe ?, avec Michel
  Dorais, Libre Expression, 2018.
Avec un grand A roman, Libre Expression, 2017.
La Vieillesse par une vraie vieille,
  Libre Expression, 2016.
Lit double 3, Libre Expression, 2014 ;
  collection « 10 sur 10 », Stanké, 2016.
Lit double 2, Libre Expression, 2013 ;
  collection « 10 sur 10 », Stanké, 2015.
Lit double 1, Libre Expression, 2012 ;
  collection « 10 sur 10 », Stanké, 2011.
Ti-Boutte, La Bagnole, 2010.
Le Cocon, Libre Expression, 2009 ;
  collection « 10 sur 10 », Stanké, 2013.
Le Bien des miens, Libre Expression, 2007 ;
  collection « 10 sur 10 », Stanké, 2012.
Les Recettes de Janette, cuisine,
  Libre Expression, 2005.
Ma vie en trois actes, Libre Expression, 2004 ;
  collection « 10 sur 10 », Stanké, 2011.
Avec un grand A, Libre Expression, 1990.

JANETTE BERTRAND

UN VIOL
ORDINAIRE

Libre
Expression

Catalogage avant publication de Bibliothèque et Archives nationales du Québec et Bibliothèque et Archives Canada

Titre : Un viol ordinaire / Janette Bertrand.
Noms : Bertrand, Janette, 1925- auteur.
Identifiants : Canadiana 20200083295 | ISBN 9782764814192
Classification : LCC PS8553.E777 V56 2020 | CDD C843/.54—dc23

Édition : Johanne Guay
Coordination éditoriale : Pascale Jeanpierre
Révision et correction : Marie Pigeon Labrecque et Sophie Sainte-Marie
Couverture et mise en pages : Axel Pérez de León
Photo de l'auteure : Julien Faugère

Remerciements
Nous remercions le Conseil des Arts du Canada et la Société de développement des entreprises culturelles du Québec (SODEC) du soutien accordé à notre programme de publication.
Gouvernement du Québec – Programme de crédit d'impôt pour l'édition de livres – gestion SODEC.

Les Éditions Libre Expression
Groupe Librex inc.
Une société de Québecor Média
4545, rue Frontenac
3ᵉ étage
Montréal (Québec) H2H 2R7
Tél. : 514 849-5259
libreexpression.com

Dépôt légal – Bibliothèque et Archives nationales du Québec et Bibliothèque et Archives Canada, 2020

ISBN : 978-2-7648-1419-2

Distribution au Canada
Messageries ADP inc.
2315, rue de la Province
Longueuil (Québec) J4G 1G4
Tél. : 450 640-1234
Sans frais : 1 800 771-3022
www.messageries-adp.com

Diffusion hors Canada
Interforum
Immeuble Paryseine
3, allée de la Seine
F-94854 Ivry-sur-Seine Cedex
Tél. : 33 (0)1 49 59 10 10
www.interforum.fr

Aux hommes qui se questionnent,
qui sont choqués, intrigués et touchés
par le mouvement #MeToo et sa suite.

Allô mom! Je te demande d'avoir
une petite pensée pour moi. Mon
avocat me dit que le procureur de la
Couronne est sur le point de prendre
une décision quant au présumé
abus sexuel dont je me serais rendu
coupable il y a un an.
Je t'aime, maman.
Laurent
P.-S. Parle à papa. Il me fait
la baboune depuis un an.
Je m'ennuie de lui.

***

Bonjour Laurent,
   Après avoir été fâchée contre toi à ne plus
vouloir te parler de toute ma vie, après avoir

pleuré toutes les larmes de mon corps, après t'avoir accusé de me trahir, je suis rendue à me poser toujours la même question : comment toi, le meilleur, le plus doux, le plus tendre, le plus respectueux des hommes, as-tu pu agresser ta blonde ? Je ne comprends pas. Même si tu avoues avoir été trop loin, je continue à me demander comment un homme qui a été élevé par une mère féministe peut commettre un viol, surtout après le mouvement #MeToo ou #MoiAussi. Tant que je n'aurai pas une réponse, ça me hantera…

Je vais parler à ton père, mais tu le connais. Pour lui, nier, c'est plus simple que de chercher à comprendre, ainsi il n'a ni à t'approuver ni à te désapprouver.

Maman

Mon cher mari,

Comme je n'arrive pas à te parler, parler vraiment, face à face, entre quat'z'yeux, j'ai pensé reprendre une habitude qui date de nos fréquentations, se parler par correspondance des « vraies affaires », comme disent les politiciens. Tu te souviens, quand tu passais six mois par année à la Baie-James et que j'étudiais pour devenir technicienne en échographie à Montréal? On s'écrivait tous les jours, presque. Toi si silencieux, si secret, ton cœur s'ouvrait, ton esprit aussi. Les mots sous ton Bic déferlaient comme l'eau du réservoir Gouin quand on ouvre les écluses. On s'est aimés par écrit. Ce n'est pas vrai que je t'aime mieux quand tu es loin de moi, que non! J'aime que ton corps s'exprime, c'est un poète quand il me caresse. Pas besoin de mots entre nous quand on fait l'amour. Rien que d'y penser, j'ai chaud, ou est-ce seulement une chaleur de fin de ménopause?

Je crois que ce qui fait durer notre amour depuis que tu es camionneur de longue distance, ce sont nos courriels. Si seulement, ici à la maison, quand tu reviens, tu me parlais autant que tu m'écris. Les fois, les rares fois, où je me risque à aborder ce qui est arrivé à notre fils, tu endosses ton armure en acier comme si mes mots étaient des flèches empoisonnées. Oh, tu me laisses parler, mais tu continues à te taire. Mes mots ne semblent pas t'atteindre. Dès qu'il y a une discussion, tu te retires dans ton armure. Je ne sais jamais si tu m'écoutes ou si tu penses à autre chose. Je vois juste tes bras fermés, tes yeux fermés, ton cœur fermé, ta bouche fermée. Je comprends que tu préfères te taire plutôt que d'affronter les vérités douloureuses; tu as été élevé dans la négation de tes émotions. Que tu te « carapaces » quand tu es avec des inconnus, ça peut aller, mais moi, ta femme, j'ai besoin que tu communiques avec moi. Je veux savoir ce que tu penses, ce que tu ressens à propos du malheur qui est tombé sur nous depuis que Laurent a eu ce geste que la loi considère comme un crime. Je sais, les vrais hommes ne parlent pas, ne montrent pas leurs émotions de peur que leurs femmes découvrent la vérité sur eux. Tu as peur que je découvre le vrai Paul? Comme s'il était un affreux? Et si au contraire, je découvrais le vrai Paul, accessible, tendre, vulnérable?

Je ne t'écris pas pour tourner le couteau dans la plaie d'une blessure qui date d'un an, comme tu me le répètes, mais pour comprendre notre fils, Laurent. Pas pour l'absoudre de son geste, je sais qu'il est coupable, mais pour savoir si en tant que parents on est un peu, beaucoup responsables de ce qu'il a fait. Tu vois, il n'est pas question de culpabilité, mais de responsabilité. Je ne me sens pas coupable du viol (ça y est, j'ai pu t'écrire le mot) commis par notre fils, mais nous qui l'avons élevé, éduqué, sommes-nous responsables de son geste, moi en étant trop là, toi en n'y étant pas assez? Peut-être... L'incertitude me tue à petit feu. Toi, tu fais comme si rien n'était arrivé.

Ce matin, j'ai reçu un texto de notre fils. Il aimerait te parler. Il a besoin de ses parents, de toi, Paul.

Moi, je veux comprendre pour moins souffrir. Toi, tu nies que Laurent ait commis un viol. Tu mets un *plaster* sur ta blessure. Il ne va pas guérir, ton bobo, tu sais. Depuis longtemps, je consulte des livres sur le féminisme et, dernièrement, sur la violence faite aux femmes, livres que tu refuses même de feuilleter quand tu viens à la maison. Pourquoi? Je te connais, je sais ce que tu vas me répondre:

— T'as presque soixante ans, j'ai soixante-quatre ans, on a-tu le droit d'être heureux?

Il s'agit de notre fils, Paul, de notre seul enfant. On l'a élevé, aimé du mieux qu'on a pu. Je l'ai chouchouté, cajolé. Tu l'as gâté, pourri, mais on a dû faire quelque chose de pas correct pour qu'il dérive.

— Bon, c'est de notre faute astheure, que tu dirais en ouvrant la télé pour me faire taire.

Parler avec toi, Paul, c'est parler dans le vide.

J'ai d'abord pensé t'écrire de vraies lettres comme dans le temps, avec du vrai papier d'arbres et une vraie plume-fontaine qui tache les doigts, mais comme on s'est convertis au numérique, eh bien, je me sers du courriel. Pour communiquer avec toi. Au moins, je peux exprimer tout ce que je ressens sans être interrompue.

Non, Paul, ne clique pas sur la poubelle!

Qu'est-ce que tu en dis, de mon idée qu'on tente tous les deux de comprendre pourquoi notre fils est devenu un violeur? Prends le temps d'y penser.

Je t'aime.

Ta femme,

Julie

P.-S. Tu vois, je n'aurais jamais pu te dire en personne le vilain mot qui commence par V.

Ma chère femme,

Si tu m'écris juste pour me parler de Laurent, tu n'auras pas de réponse. Pour moi, la page est tournée.

— C'est faite, c'est faite, disait mon père.

Et il ajoutait:

— Les remords ne servent à rien. Un an à se tourmenter, c'est assez. On peut-tu oublier et vivre un peu? Parle-moi plus de lui!

Ton mari

Mon cher Paul,

Je ne vais pas te parler de Laurent, je vais te parler de moi. Je ne veux pas m'accuser de quoi que ce soit, je me demande simplement où j'ai manqué à mon devoir de mère pour que mon fils commette un tel geste. J'ai élevé Laurent, surtout moi, à cause de ton travail au loin. Les parents sont des êtres humains, donc imparfaits. Les parents se trompent. J'avoue m'être trompée, mais je ne sais pas en quoi exactement. Quand j'ai eu Laurent, j'ignorais ce que c'était d'élever un petit homme, je suis une femme, j'ai pu faire des erreurs.

Je vais remonter à notre rencontre, là où l'histoire de notre famille a commencé. Quand tu m'as souri au chalet de la montagne un soir d'été (on sirotait une bière d'épinette), j'ai su tout de suite que nous allions passer notre vie ensemble. Le coup de foudre, je l'ai eu en plein cœur. Ça n'a pas pris une minute que tu venais t'asseoir à côté de moi. Tu ne m'as pas beaucoup parlé, mais tu m'as écoutée. Je me trouvais chanceuse que tu t'intéresses à moi, la fille de la campagne plus qu'ordinaire. On a marché dans la montagne jusqu'à ce que mes pieds ne puissent plus me porter. (J'étrennais des sandales.) De peur de perdre la seule personne qui me trouvait intéressante, je ne t'ai pas fait part de mes aspirations profondes, faire carrière en médecine. Tu m'embrassais et j'étais comblée.

Je viens d'une famille qui ne se touchait pas et ne se parlait pas d'amour. La tendresse ne se manifestait jamais. On était une famille, donc on s'aimait, pas besoin de le montrer. J'avais une grande soif de caresses et de «Je t'aime», et tu m'en gavais. J'étais heureuse. On s'est fréquentés quelques mois, puis tu es parti à la Baie-James comme électricien, et je suis allée étudier. De là-bas, tu m'écrivais ton désir de m'épouser, d'acheter une maison et d'élever une famille, une grosse famille, comme la tienne : cinq garçons. Tu tenais à reproduire le modèle où tu avais grandi : des parents qui s'aiment, des frères soudés à la vie à la mort. Moi, je t'aimais à la folie, je te désirais et, tout en maudissant la Baie-James, je savais que les kilomètres qui nous séparaient exacerbaient le désir que j'avais de toi. Lorsqu'on se retrouvait, on était des amants passionnés. Et j'adorais la passion. J'étais passionnée par la passion.

Un seul bémol : je rêvais d'une carrière en médecine, et toi, d'une maison remplie d'enfants. On le savait tous les deux, mais on ne s'en parlait pas.

Tu ne rechignais pas quant à mon choix de travailler, tu n'en faisais pas une question d'égalité hommes-femmes, mais une question d'argent. Si on voulait s'acheter une maison pour y abriter une famille, il fallait deux salaires. Toi, tu voulais le kit de luxe : la banlieue, le bungalow, la pelouse, la piscine creusée. Ce n'est pas par féminisme que tu acceptais que je travaille, mais par opportunisme. M'as-tu une seule fois demandé si en dehors de toi j'avais des désirs ? Si j'avais des plans hors du foyer ? Je te l'écris aujourd'hui après quarante ans de silence. Mon rêve de jeune fille, c'était de parcourir le monde avec Médecins Sans Frontières. Le don de soi combiné aux voyages. Mon plan à moi, que je gardais secret, était qu'on se marie et qu'on parte chacun de notre bord pour le travail pour ensuite se retrouver, passionnés comme quand on se fréquentait. Peu de « quotidien » dans nos vies, juste du romantisme, sans enfants.

Je te l'avoue, et c'est la première et la dernière fois que je t'en parle : avoir une famille n'a jamais été dans mon plan de vie parce que j'étais l'aînée de neuf enfants. À seize ans, quand je suis partie de mon Abitibi natale pour venir étudier à Montréal, je me suis juré de ne pas être une pondeuse comme ma mère. Je quittais la maison aussi pour ne plus être la servante des petits, derrière moi. Dans les générations précédentes, combien de carrières de filles aînées ont été sacrifiées par des parents qui suivaient mot à mot les règlements de l'Église ? Ma mère me l'a confirmé. Ce n'était pas son choix de passer d'une grossesse à l'autre. Elle a fait son devoir conjugal, comme on disait à l'époque. J'aurais dû te faire part de mon rêve, mais je ne l'ai pas fait. Pourquoi ? D'abord, tu ne me l'as jamais demandé, puis j'avais enfin trouvé quelqu'un qui m'aimait. Tu m'aimais, je sais que tu m'aimais, mais pas pour les mêmes raisons que moi je t'aimais. Toi, tu avais hâte de t'installer et de reproduire ce que tu connaissais si bien, une grosse famille. Ma mère m'a dit quand je suis partie de la maison :

— Je t'envie. Si j'avais pu ne pas avoir tant d'enfants…

On s'est fréquentés longtemps, toi et moi, le temps que je termine mes études, le temps que tu possèdes le montant qu'il fallait pour te caser. On a tout fait sauf la « chose ». On s'est mariés finalement pour coucher ensemble. Plus besoin de me payer des repas au restaurant, de dépenser une fortune pour me conquérir. Le mariage, c'était le sexe gratuit à domicile. On en a passé, du temps au lit, à se montrer notre amour. Deux affamés devant un buffet chinois. Comme je ne voulais pas d'enfants, je t'ai fait jurer de toujours porter un condom. Je ne supportais pas la pilule anticonceptionnelle. Tu me l'as juré. Avec le recul, je crois que nous étions persuadés chacun de notre côté d'être capables de faire changer d'idée à l'autre. Je t'ai menti en te laissant croire que je voudrais un jour des enfants. Je t'en demande pardon.

Comment j'ai pu devenir enceinte un mois après cet arrangement a toujours été un mystère pour moi. Tu portais un condom, je le sais, c'est moi qui te le mettais. Ta version de la conception de Laurent: un miracle! Eh oui, des relents de religion te faisaient encore croire aux miracles. Moi, je n'y croyais pas, je n'y crois pas encore. Enfin, Laurent s'est pointé dans mon utérus.

Quand ma maternité a été confirmée par le docteur, tu étais si fier de toi que c'est juste si tu n'as pas fait mettre une banderole au-dessus de la porte du bungalow pour annoncer l'événement. J'ai pensé à l'avortement, mais tu étais si heureux. Je ne me voyais pas en mère de famille, je me voyais en Asie, en Afrique à soigner du monde. Je ne sais pas si un embryon ressent le rejet de sa mère, mais jusqu'à la naissance de Laurent, j'ai souhaité qu'il m'arrive quelque chose, un accident ou autre, et que cet enfant ne naisse pas. J'ai honte, mais je ne dois pas être la seule mère qui ne désirait pas son enfant. Comme je questionnais le docteur sur l'efficacité du condom, il m'avait répondu :

— Les accidents, ça arrive. Il y a des enfants Ogino, des enfants stérilets, des enfants surprises du condom : des enfants miracles.

Terminé mon rêve de faire le bien en visitant le monde tout en gagnant ma vie. Je m'étais juré de ne jamais devoir quémander de l'argent à mon mari comme ma mère le fait encore, mais je t'aimais, et te rendre si heureux me consolait un peu. Ma grossesse a été difficile : maux de cœur, essoufflement, rosacée, perte de cheveux. Comme si le bébé me punissait de ne pas le vouloir.

Quand il est né, le bébé a pris le mauvais chemin. Il a d'abord sorti un pied, comme pour tâter le terrain. Le docteur s'est affolé, tu as paniqué et il t'a mis à la porte. Il m'a coupée pour faire de la place à l'autre pied. Je saignais. Quand on a mis le bébé sur mon ventre, encore attaché à moi par le cordon ombilical, j'ai su là que j'étais mère à jamais. On aurait dit qu'il me souriait dès qu'on l'a posé sur moi. J'ai su tout de suite qu'il allait faire ma conquête. Toi, tu étais fier de ta réalisation. Tu avais fait un garçon en plus, un mini-Paul! Moi, j'héritais d'un enfant, le sexe m'importait peu. Tu t'es emparé de lui. Si t'avais pu avoir du lait, c'est toi qui l'aurais allaité.

Ça m'aurait arrangée que tu t'occupes de lui plus longtemps, mais ton contrat à la Baie-James t'en empêchait. J'avais besoin de temps pour apprendre à l'aimer. Que ces vérités sont difficiles à écrire!

Je ne suis pas un monstre. Je suis une femme qui n'a pas la fameuse fibre maternelle que toute femme est censée avoir. Je ne l'ai pas, moi, et je sais que je ne suis pas la seule. On m'a fait croire que le désir d'enfants était naturel à la femme. En vieillissant, je me suis aperçue que c'était faux. Les femmes qui ne veulent pas d'enfants sont aussi normales que celles qui en désirent.

Je m'étais sentie comme une moitié de femme de ne pas vouloir d'enfants, je me sentais mauvaise mère de ne pas être emballée par ce petit tas de chair qui passait ses jours à dormir et ses nuits à brailler. La religion et la culture dans lesquelles j'ai été élevée prônaient les grandeurs de la maternité, et je n'aimais pas être mère tant que ça, donc je devais être une mère indigne. Dis-moi, Paul, je n'ai pas été si mauvaise mère que ça? Ce n'est pas moi qui l'ai poussé à faire ce qu'il a fait? Réponds-moi. Juste pour me dire au moins que tu lis mes courriels.

Ta femme,

Julie

Ma chère femme,

Je sais que tu lâcheras pas le morceau, que tu vas m'envoyer des courriels tant que je te répondrai pas, alors voilà : tu veux brasser de la merde, on va en brasser. J'ai su dès la naissance de notre gars qu'entre toi et lui ce serait la guerre, une guerre secrète, intime, une guerre amour-haine. Je suis pas fou, ça se sent, ces choses-là, même si tu faisais semblant que t'étais contente. C'est pas parce que je parle pas que je suis aveugle. Pourquoi tu penses que j'ai tant gâté Laurent? Je compensais! J'étais pas là souvent à cause de mon travail, mais j'étais là en pensée. Il fallait que je gagne notre vie. On a fait notre possible. On a pas à se sentir coupables ou responsables. Final bâton!

La cour va décider si notre fils est innocent ou coupable. Je le sais, moi, qu'il est innocent. Je l'ai toujours su! J'en ai jamais douté, O.K.? D'accord, il a un peu bousculé sa blonde, mais la bousculade, ça fait partie des préliminaires. Toi, tu veux de la douceur, mais il y en a d'autres qui aiment ça se faire brasser un peu. C'est ce que les gars que je connais me racontent. « Fais-moi mal », crient certaines filles. Il paraît, je le sais pas, c'est ce que mes chums de gars me disent.

Qu'est-ce que tu veux, Julie ? Un homme, c'est un homme. Une femme, c'est une femme. Tu changeras jamais ça.

Tu veux savoir ce que je pense ? Le v'là, ce que je pense. L'homme est né conquérant, c'est pas lui qui restait dans la caverne à faire bouillir la marmite. Lui, il partait chercher ce que sa moitié ferait cuire dans la marmite. C'est comme ça, même tes féministes changeront pas ça.

Puis sors-moi pas que la marmite était pas inventée. Je m'en sacre ! C'est ce maudit #MeToo qui a mêlé les gars comme moi, les vrais gars. Avant, tout était clair, simple : les gars partent à la conquête d'une fille, la fille le fait poireauter, elle se fait prier, elle veut, elle veut pas. Finalement, le gars est pris avec ses hormones, il finit par faire ce qu'il a à faire, puis elle est ben contente. Tous les films d'action sont basés là-dessus.

Tu vois, je t'écris ce que je ressens, mais je t'entends me dire :

— Mais si la fille veut pas, c'est un viol.

Ça, Julie Painchaud, je peux plus l'entendre, ce mot-là, « viol » ! Comme si tous les hommes étaient des violeurs. Je suis pas un violeur ! En tant qu'homme, je suis blessé chaque fois que j'entends ce mot-là. C'est non négociable. Je suis pas un violeur.

Je veux plus parler du cas de mon garçon. Si tu te sens coupable, pas moi ! On en parle plus, la vie reprend comme avant. Tu as tort de revenir sur cette histoire qui te fait souffrir. On passe à autre chose, veux-tu ?

Je te parle de moi, O.K. ? Je compte encore, j'espère.

Je suis à Los Angeles, il fait 40 degrés. J'aimerais que tu sois près de moi, je te ferais oublier ce qui te tracasse… tu sais comment. En attendant…

Je t'aime,

Paul

Une semaine plus tard

Mon chéri,

Tu es chanceux de pouvoir vivre sans trop te poser de questions, je t'envie. Puisque tu refuses d'admettre qu'on a pu avoir, toi et moi, ses parents, une part de responsabilité dans l'agression commise par notre fils, je vais te parler de ce que le patriarcat m'a fait à moi, et par la même occasion, à Laurent.

Le patriarcat, si tu veux savoir, est un système instauré depuis la nuit des temps par lequel l'homme domine la femme. Sans le vouloir, j'ai transmis à Laurent la croyance que l'homme est supérieur à la femme, que naître garçon, c'est mieux que naître fille. J'ai perpétué quand il était jeune, sans le réaliser, l'idée de la supériorité masculine. «Eh, que t'es fort! Eh, que tu cours vite ! Pleure pas. » Tu avais juste à venir au monde avec un pénis et tu étais consacré de la race supérieure. En Inde, il y a les castes, en Occident, il y a les hommes dominants et les femmes dominées et tannées de l'être.

Ma mère était de la génération des femmes soumises. Elle qui était une femme intelligente n'avait aucun pouvoir en dehors de la maison. Jusqu'en 1964, elle n'avait pas le droit d'ouvrir un compte de banque, d'acheter une maison. Avant ça, si elle travaillait, elle ne pouvait pas garder son salaire. Sa mère à elle n'avait pas le droit de vote, donc elle n'avait de pouvoir que sur sa maisonnée. Elle n'avait même pas le contrôle de sa fertilité. L'Église lui commandait autant de bébés que son corps pouvait lui en donner. Certaines femmes abusaient des petits pouvoirs et menaient la famille et le mari à la baguette, je te le concède, d'où cette idée qu'au Québec on vivait dans une société matriarcale. N'ayant eu aucun pouvoir en dehors de la maison pendant des générations, elles auraient été nounounes de ne pas profiter de celui-là. C'est grâce à la première femme députée et ministre de l'histoire du Québec, Marie-Claire Kirkland-Casgrain, que la loi sur la capacité juridique de la femme mariée a été adoptée. Cette loi a donné aux femmes mariées le droit d'exercer une profession, de gérer leurs propres biens, d'intenter des actions en justice et de conclure des contrats. Cette loi abolissait le devoir d'obéissance de la femme à son mari, sans toutefois faire disparaître la puissance du mari. Penses-y, Paul! Au Québec, les femmes n'ont été reconnues juridiquement qu'en 1964.

Dans ma famille, on ne parlait pas de sexualité, mais elle était présente partout. J'ai entendu fabriquer mes frères et sœurs à travers la cloison qui séparait ma chambre de celle de mes parents. J'ai entendu mon père réclamer son dû sexuel après une grosse journée de travail. J'ai entendu ma mère plaider la fatigue, la maladie, et mon père lui rappeler:

— T'as pas le droit de me refuser, t'es ma femme.

Ma mère avait une santé fragile et pourtant elle prenait soin de la maison, faisait le ménage, cousait les vêtements des enfants, s'occupait des poules, du potager, de la traite des vaches et nourrissait tout ce monde-là. Elle ne recevait aucun salaire et devait quêter à son mari des sous pour se payer du luxe. Fatiguée ou pas, malade ou pas, ma mère donnait son plaisir à son mari, qui ne se souciait aucunement du sien. Elle m'a raconté qu'un jour, épuisée par ses grossesses successives, elle a demandé au prêtre la permission d'utiliser un moyen de contraception ; il lui a fermé la porte grillagée au nez. Quand ma mère a voulu se faire stériliser, comme son médecin le lui conseillait, mon père a refusé de donner son consentement, pas par méchanceté, mon père était un homme bon, mais parce qu'il avait le sentiment d'être le propriétaire de sa femme.

Moi, durant ce temps-là, j'allais à l'école, et le soir, je m'occupais de la marmaille tout naturellement, parce que c'était à la fille aînée d'aider la mère. Mon frère, qui avait dix mois de différence avec moi, ne faisait rien que ses devoirs. Mes parents l'avaient destiné à devenir prêtre, leur prêtre. Il fallait qu'il étudie, et ses mains qui manipuleraient l'ostensoir ne devaient pas toucher au fumier ni aux pis de vache, encore moins nettoyer le poulailler. À chaque nouvelle naissance, mon père espérait un garçon pour l'aider à la ferme et pour lui succéder, pour porter son nom, pour avoir son club de balle molle, comme il disait. Il était déçu à chaque naissance de fille et se remettait au lit pour enfin l'avoir, son maudit club. Tu vas me dire :

— C'est ça qui est ça. C'est comme ça que ça marchait et parle-moi-z'en plus.

Pourquoi, Paul, quand on discute, faut toujours que tu aies raison? Pourquoi reconnaître tes torts, pour toi, c'est comme subir un échec? Combien de fois je reconnais que tu as raison, moi, pas nécessairement parce que c'est le cas, mais juste parce que tu parles plus fort que moi et que j'ai peur de te faire fâcher? Parce que, quand tu es en colère, ou tu t'enfermes dans le silence, un silence encore plus significatif que les cris parce que méprisant, ou tu boudes. De toute manière, tu me fais payer ta perte de contrôle.

Je m'égare. Dans le fond, je veux juste que tu admettes que nous sommes encore dans un système dont a profité Laurent.

Je te donne un autre exemple du patriarcat. Mon père était persuadé que ses fils dès l'adolescence devaient sauter sur tout ce qui bouge. Je le soupçonne d'avoir envié leur virilité naissante. Je l'ai entendu dire aux voisines, mères de filles aux seins bourgeonnants:

— Serrez vos poules, je sors mes coqs!

À ma mère qui rougissait, il expliquait:

— Ils ont les hormones dans le tapis. Qu'est-ce que tu veux faire? Un homme, c'est un homme.

Ses fils avaient les mains baladeuses. Ils sifflaient les filles.

— C'est la faute à la testostérone. Les gars, c'est biologique, ils traînent pas un pénis entre leurs jambes pour pas s'en servir. Ça tombe sous le sens.

Je t'ai souvent répété, quand tu regardais du côté du gazon plus vert que le nôtre, que le principal organe sexuel du corps des hommes, c'est le cerveau, pas le pénis.

Ton gars, Paul, il avait juste un pénis le soir du viol. Il a oublié qu'il avait un cerveau, ç'a l'air.

En passant, j'ai une question à te poser sur la prostitution. Juste par curiosité. Qui est le plus coupable : celui qui oblige une jeune fille à se prostituer ou celui qui en profite en payant pour les services sexuels ? Celui qui exploite la fille en l'utilisant comme gagne-pain ou celui qui laisse faire, qui regarde ailleurs, comme si ça n'existait pas, une telle violence faite aux femmes, comme si ça ne le concernait pas, ce genre d'esclavage sexuel ? Ça me tue quand on excuse la prostitution en invoquant que c'est le plus vieux métier du monde. Comme s'il fallait garder la peste parce que c'est le plus vieux virus du monde. Le plus vieux métier du monde continue à proliférer grâce à la complicité silencieuse des hommes, de tous les hommes, même ceux qui ne se servent pas de femmes comme d'objets sexuels. Ils n'agissent pas, ils laissent faire.

Il y aura égalité entre les hommes et les femmes quand les hommes cesseront de se payer des femmes pour satisfaire leurs désirs sexuels. S'il n'y avait pas de demande, il n'y aurait pas d'offre. Quand les hommes auront du respect pour les femmes, toutes les femmes, il n'y aura plus de prostitution.

Bon, chéri, j'ai terminé mon sermon pour aujourd'hui. Tu as de la matière à réfléchir pour les semaines à venir. Mais peut-être effaces-tu tout simplement mes propos en te disant : « Moi, je ne fréquente pas les prostituées, ça ne me concerne pas. Moi, je ne viole pas. Que les autres, mon fils, le fassent, ça ne me regarde pas. »

Nous sommes des êtres sociaux, nous faisons tous partie de la société. Il n'y a pas les violeurs et les autres, les abuseurs et les autres. Il y a nous comme société et ce que nous voulons qu'elle devienne.

À propos, quand reviens-tu à la maison ?

Je ne désespère pas de régler cette différence d'opinions qui noircit notre ciel amoureux.

Ta femme qui t'aime,

Julie

Ma femme chérie,

Je suis sur la route du retour. Je serai à la maison demain soir pour le souper.

Paul

P.-S. Je mangerais un plat mijoté de ton cru. Je rêve d'après le souper. Pas toi ?

Paul a garé son mastodonte au garage de la compagnie. Il est heureux de se délier les jambes. Rendu chez lui, il hésite. Doit-il sortir sa clé, pénétrer dans la maison, ou est-ce plus prudent de sonner? Des images de camionneurs revenant chez eux et trouvant la place prise par un autre lui tournent dans la tête. Il choisit plutôt de frapper de son poing le cadre de bois de la porte d'entrée. Pas de réponse. Julie n'est pas encore revenue du travail. Il est déçu, il aurait aimé qu'elle l'attende comme sa mère attendait son père quand il rentrait du travail. Il se sent abandonné. Paul a toujours détesté que Julie change le scénario qu'il avait élaboré. Il entre et promène sa déception d'une pièce à l'autre.

Finalement, il s'assoit, pose son bras replié sur la table de la cuisine et s'endort. Il est réveillé par un baiser dans le cou.

— T'es arrivé de bonne heure !

Il se secoue comme un chien qui sort d'un lac.

— Crisse, Julie, je viens à la maison pas si souvent, tu pourrais être là pour m'accueillir.

— Je m'excuse, j'ai été prise par une collègue, une histoire de violence conjugale. Je sais pas pourquoi ça s'appelle comme ça puisque dans la majorité des cas ce sont les hommes qui…

— Wooh… là ! Laisse-moi arriver avant de me culpabiliser comme homme.

— Je m'excuse, mais si t'étais à la place des femmes battues…

— Je suis un homme jusqu'à tant que les femmes nous éliminent de la planète.

Julie sent que la conversation commence mal. Elle s'empresse de mettre la mijoteuse à *off*. Le braisé de joues de veau a cuit lentement toute la journée. Elle se rend compte qu'ils ne se sont pas encore embrassés. Des caresses pour éviter les conflits, ça fonctionne, d'habitude.

— Mon bec ? Je suis contente que tu sois là.

Ils s'embrassent, et les aspérités de langage fondent comme glace au soleil. Ils prennent le temps qu'il faut pour se savourer l'un l'autre ; leurs langues s'entendent tellement mieux quand elles ne discutent pas. Malgré leurs divergences d'opinions à propos de leur fils, ils se désirent.

La distance physique qu'ils mettent entre eux les rapproche finalement.

La bonne humeur revient. Elle lui offre une bière. Elle se verse un verre de vin rosé d'une bouteille entamée. Il décapsule sa bière. Julie se colle à Paul, qui la presse contre lui, puis prend ses fesses à pleines mains. Toute molle, elle lui chuchote dans l'oreille :

— Le souper est prêt.

Il enroule son bras autour de sa taille, et tout en l'embrassant, ouvre la porte de la chambre.

— Non.

Son « non » est ferme, mais Paul ne l'entend pas, trop occupé à vérifier discrètement si son désir se rend à son pénis. Il n'a plus vingt ans...

Tard, au coin de la table, un braisé sec et ratatiné devant eux, ils picossent dans leurs assiettes. Le souper a été retardé de deux bonnes heures, après baise et sieste comprises.

Un silence gluant flotte.

Julie, pour alléger l'atmosphère, lance :

— As-tu eu le temps de lire les livres que je t'ai prêtés ?

— Plates à mort ! « On ne naît pas femme, on le devient. » Heille, moi, je suis né avec tout ce qu'il faut pour être un garçon. J'en ai jamais douté.

J'avais tu sais quoi entre les jambes pour me le rappeler. L'homme naît mâle. C'est pas écrit sur notre front, mais là où ça se voit. T'as vu sur mes portraits de bébé, je suis sur le dos tout nu sur une peau de mouton. J'ai pas l'air d'une fille pantoute. Ark! Je me vois pas du tout en fille. Je voudrais pas être obligé de me peigner, d'être poli, bien élevé, de brailler, de jamais sacrer, porter des talons hauts, me barbouiller de peinture. Pouah! Moi, je suis né avec de la force, de l'endurance, du pouvoir, puis une grosse voix pour faire peur au monde. J'avoue que je suis ben content d'être né homme et je suis pas prêt à me priver des avantages dus à mon sexe. Je suis un gars, puis c'est ben correct de même.

Il pense qu'il a clos le sujet.

— Donc, selon toi, il y a le bon sexe et le mauvais sexe? Toi Tarzan, moi Jane?

— T'as rien qu'à voir qui mène le monde! Les femmes ont beau essayer. Il y a combien de femmes à la tête de pays dans le monde, hein? Il y a combien de femmes qui tiennent les premiers rôles au cinéma? Qui sont les scientifiques qui ont fait les plus grandes découvertes? C'est pas ma faute, mais c'est l'homme. Le plus fort? Ben, je pèse deux cents, tu pèses quoi, cent livres? C'est une *joke*! Donc aux hommes le pouvoir, la liberté, l'aventure, à toi la patience, la gentillesse, la douceur. C'est de même, que veux-tu ? C'est la vie. On se complète, les hommes et les femmes. On se complétait pas tout à l'heure ?

Julie est piquée au vif.

— Donc tu les as pas lus ? Redonne-les-moi.

— J'ai pas le temps de lire des ouvrages de féministes. Rien qu'à voir, on voit bien que les filles sont partout, elles nous volent nos jobs.

— Sais-tu, Paul, que de nos jours, malgré le féminisme, les jeunes filles vont encore vers des métiers dits « féminins » ? Pourquoi, tu penses ? Parce qu'il est prouvé que les femmes qui accèdent à des postes haut placés sont jugées plus sévèrement que les hommes. On les juge sur leur chevelure, sur leurs vêtements, sur leur tour de taille. Et ne me dis pas…

Encore une fois, pour la faire taire, il va se servir de la séduction masculine :

— J'ai juste une chose à dire. Moi, j'aime les femmes ! J'aime les femmes en général, puis toi en particulier.

Il lui fait les yeux qui la font fondre et il se met à lui embrasser la paume de la main. Elle se dégage et continue :

— Mais tu voterais jamais pour une première ministre. T'as pas voté pour Mme Marois parce que tu trouvais qu'une femme avait pas la tête pour mener le pays. Tu la jugeais sur ses foulards de soie plutôt que sur ses idées. Dis pas non, c'est dans la culture, notre culture, de trouver qu'aux postes de pouvoir les hommes sont plus crédibles que les femmes. Plus capable ! C'est ça, le patriarcat.

— C'est fini, ça, le patriarcat. Les femmes sont partout, je te dis. Il y a de plus en plus de femmes camionneuses, c'est-tu assez fort ? Le patriarcat se fait manger la laine sur le dos.

— Le patriarcat est en santé parce que le patriarcat fait ton affaire, fait l'affaire des hommes. T'en profites, ils en profitent tous. Laurent en a profité.

Le ton monte.

— Si tu détestes tant le système, pourquoi tu le changes pas ? Au lieu de chialer, prenez-la, notre place.

— On veut pas votre place, on veut notre place !

— Prends-la, crisse ! O.K., je vais aller faire tes échographies, toi, conduis mon camion.

Elle lui lance un regard assassin, puis reprend, toute douce, mais résolue à poursuivre son idée :

— On a peur d'attirer trop l'attention, de viser trop haut, on a peur d'être jugées, peur de

l'échec, peur de tout. Et pourquoi on a peur ?
Parce que, depuis des siècles, on est rabaissées
au rôle inférieur. On a fini par le croire.

— Câlisse, elle a viré féministe pour vrai.

— Je l'ai toujours été, tu t'en es même pas
aperçu.

Elle le regarde sans cligner des yeux.

— Si tu brûles ta brassière, prends-en une
vieille, pas celle que je t'ai offerte pour la Saint-
Valentin, j'ai payé cent dollars avant les taxes.

— Il n'y a jamais moyen de parler avec toi !
Qu'est-ce que je fais avec un homme qui tourne
tout en farce comme si c'était comique, la condition des femmes ?

— Puis notre condition, nous autres ? C'est dur,
d'être homme, d'être à la hauteur de vos exigences. Les femmes sont de plus en plus difficiles.

Julie ne veut plus discuter avec lui. Elle ramasse
les assiettes, les vide, les rince, les dépose dans le
lave-vaisselle, et quand il lui propose de l'aider, à
la fin, alors que tout est fait, elle lui jette un « Tu
changes pas ! » qu'il prend pour un compliment.

Plus tard, quand les esprits se sont calmés, ils
regardent ensemble une partie de hockey qu'elle
lui a enregistrée. Elle se rapproche de lui, se
faufile entre ses bras, elle le respire comme on
sent une fleur. Elle est en sécurité près de lui,

heureuse. Elle l'aime, même s'il ne pense pas comme elle. Elle se culpabilise. Elle devrait être plus douce, ne pas l'énerver avec ses inquiétudes. Julie se jure que désormais elle ne parlera plus de ses angoisses quand il sera à la maison. Elle les lui écrira par courriel, ça évite les conflits. Éviter les conflits, c'est sa règle de vie depuis son mariage. Plier, s'accommoder, faire des concessions afin que le peu de temps qu'ils passent ensemble soit harmonieux. Elle se jure d'être gentille. Ne lui a-t-on pas appris que la gentillesse est obligatoire si les filles veulent se trouver un mari et le garder? « Sois gentille et tais-toi », sinon Paul viendra la voir de moins en moins. Elle le sait.

Dans son loft de Griffintown, Laurent se regarde dans le miroir de la salle de bain, miroir en pied qu'il a collé sur la porte de l'armoire à serviettes. Il sort de la douche, il est nu. Il commence par vérifier si de la graisse ne se serait pas insérée à la taille. Il gonfle ses pectoraux, ses biceps. Il est content de son corps. Il se regarde de côté. Son ventre est plat, surtout quand il le rentre. Il s'est juré que jamais il n'aurait la bedaine de son père. Il travaille fort pour garder à trente-neuf ans la *shape* de ses vingt ans. Il regarde son appareil génital. Tout fonctionne à la demande et même sans la demande. Il a des érections de nuit, spectaculaires. Un feu d'artifice. Il caresse légèrement son pénis, qui se réveille aussitôt. Il rit. Bon pénis ! S'il le pouvait, il le récompenserait comme on récompense un chien avec un bonbon canin. Son cellulaire résonne.

— Allô ! Maître ? Une petite minute, je sors de la douche…

Il prend la serviette de bain à terre encore mouillée, entoure ses hanches et va s'asseoir à la table de la cuisine.

— Un instant !

Il retarde une nouvelle qui peut s'avérer mauvaise. Il craint un verdict qui pourrait ruiner sa vie. Il pense à toute vitesse.

Depuis #MeToo et l'escalade des derniers mois, plusieurs hommes craignent une dénonciation. Les femmes, maintenant qu'elles sont écoutées, vont piger dans leur passé. Il se rappelle très bien ce soir-là. Léa était belle, chaude, affriolante. De plus, elle le désirait, ça se voyait à ses mamelons durs comme des vis, à sa peau moite, à sa bouche entrouverte, et il a laissé son fantasme de sodomie l'envahir, sans se soucier du fait qu'elle avait dit non à la pénétration anale.

— Désolé. Oui, maître.

Il écoute un long moment sans être capable de dire un mot.

— Merci, maître.

Il s'écroule sur la table de la cuisine et verse toutes les larmes qu'il a refoulées depuis presque quarante ans.

Mon mari,

Je suis contente de reprendre nos courriels après deux semaines de caresses, de baise, comme tu dis, mais ça me fait mal au cœur que tu rabaisses ainsi ce que je trouve grandiose : l'accord des sens, l'accord harmonieux des sens. J'aimerais être poète pour décrire ce que je ressens quand on fait l'amour, nous, et expliquer la plénitude que j'éprouve, moi, quand tu tombes endormi après, pour récupérer, dis-tu. Toi dans moi, ton pénis qui dégonfle. Le pénis recroquevillé, tu n'es plus un mâle en rut, mais un être humain, vulnérable. Je l'aime, cet être humain.

Dans le fond, on communique mieux avec nos corps qu'avec nos mots, nous deux. On n'est pas d'accord souvent, surtout quand il s'agit de notre fils.

Un jour, il devait avoir treize ans, il m'a demandé, comme s'il me tirait un boulet de canon dans le cœur.

— M'as-tu désiré, maman ?

Je lui servais son steak haché cuit de bord en bord et son Whippet, il ne mangeait que cela jour après jour, refusait systématiquement mes menus comme pour me prouver que c'était lui qui commandait quand tu étais absent. C'était bel et bien du contrôle. Je lui ai répondu :

— Oui, évidemment !

J'ai noyé mon mensonge sous un tas de paroles. Il s'est levé, a claqué sa porte de chambre. Il a mis sa musique le plus fort possible, c'était sa façon de me dire qu'il ne me croyait pas !

C'est peut-être parce que je ne l'ai pas assez désiré qu'il s'est conduit ainsi avec Léa. Comme s'il était en colère contre elle, alors que c'était moi qu'il voulait punir. Et toi aussi, mon Paul, tu as eu des comportements qui ont pu influencer notre Laurent. Toi aussi. Je t'entends lui dire « mon champion, mon homme ». Tu l'as rarement appelé Laurent. Et quand tu partais au loin pour ton travail, tu lui disais :

— Prends soin de maman, c'est toi, l'homme de la maison, quand je suis pas là.

Tu lui as laissé croire que j'étais peureuse, faible, et que si j'étais attaquée, il devait me défendre. C'était peut-être inconscient. Et tu lui as répété si souvent : *Never take no for an answer!* En plus, quand il s'agissait de me faire accepter une de tes sorties entre gars, tu en faisais un complice. Je les ai vus, vos clins d'œil de connivence. Je t'ai assez entendu lui parler de la solidarité entre hommes et de la compétition entre femmes. Selon toi, les femmes jasent, les hommes discutent. Combien de fois lui as-tu dit :

— Maman, elle commence toujours par dire non, mais si on a le tour, elle finit par dire oui.

Oui, c'est vrai ! Il m'est arrivé de céder à vos demandes parce que je suis gentille. On montre aux petites filles dès le bas âge à écouter, à obéir avec le sourire. Dire non est considéré comme agressif. Les colères des filles sont vite réprimées, trop laid. Une fille qui pleure, c'est une braillarde. Un garçon qui pleure quand on ne lui donne pas ce qu'il veut, c'est normal qu'il soit en colère. À peine nés, les enfants sont étiquetés selon leur sexe. Les filles, des princesses, et les gars, des conquérants.

Te souviens-tu, Paul, du jour où tu es arrivé à la maison avec un film porno ? Moi, en tout cas, c'est encore tout frais dans ma mémoire. Tu as commencé par me dévaloriser :

— T'es la seule femme qui regarde pas de porno. Faut que tu te déniaises. Y a plein de trucs qui pourraient améliorer notre vie sexuelle. Les blondes de mes chums aiment ça, la porno, puis elles se rasent les poils de la chatte. Et le sexe anal, les gars me disent que leur femme aime ça.

Tu m'as fait un long discours sur les bienfaits de la porno dans le couple.

— C'est ça, le sexe, de nos jours. Arrive en ville.

Pour finir par LA menace :

— Si tu veux que je reste fidèle, que j'aille pas voir des femmes plus lousses que toi…

J'ai eu peur de te perdre et j'ai regardé un film avec toi pour te faire plaisir et pour être comme toutes les autres. Pendant que tu regardais, je t'observais et tu étais excité. Ça ne m'excitait pas parce que ce n'est pas moi qui déclenchais ton désir, mais la vue de personnes inconnues qui font l'amour, un acte où la femme dit toujours oui, où elle accepte tout, tout, tout. Je dis « personnes », mais la porno est faite de gros plans d'organes génitaux qui m'écœurent au lieu de m'exciter. Moi, je ne me reconnais pas dans la fille de la porno. Elle n'a jamais mal à la tête, elle est partante pour tous les caprices de l'homme. C'est juste si elle ne remercie pas le mâle qui éjacule sur son visage. Il ne lui demande jamais la permission de quoi que ce soit. Il se sert de la femme comme d'une poubelle. Souviens-toi, je n'ai pas pu faire l'amour avec toi après avoir visionné le film. Oui, mes sens ont été chatouillés, je ne le nie pas, mais dans faire l'amour, il y a le mot «amour», et pour moi, la porno, ce n'est pas faire l'amour, mais le sexe. Et j'étais vexée, humiliée qu'on représente ma génitalité comme des trous à remplir. Je ne suis pas que trois trous! Puis je regardais l'énorme pénis du monsieur, et je regardais le... Ça ne te donne pas de complexes?

Pour moi, Paul, la sexualité, c'est un des moyens d'exprimer l'amour que j'ai pour toi. J'ai des compagnes de travail qui aiment le sexe pour le sexe, elles ne sont pas amoureuses comme je le suis de toi, et c'est correct. La porno, un marché de plusieurs milliards de dollars, est faite pour faire fantasmer les hommes quand ils se masturbent. De là à s'en inspirer pour faire l'amour à la femme qu'ils aiment... Ah! S'il y a consentement, si les deux sont d'accord, je n'ai rien contre. Mais les hommes semblent avoir de la difficulté à comprendre les subtilités du consentement. Ce n'est pas parce qu'on cède qu'on consent.

En d'autres termes, tu as montré à notre fils, sans le vouloir, en laissant traîner tes films et tes revues, que les femmes étaient des trous à remplir... Peux-tu me jurer, Paul, que ce n'est pas ce que tu penses toi-même des femmes?

Je ne sais pas si tu m'as supprimée, mais ce que je t'écris, c'est ce que je n'ose pas te dire en face parce que tu me ferais taire et tu serais fâché contre moi. C'est aussi ça, le patriarcat. Monter le ton dans le but de faire peur à sa femme. La menace : « Fais-moi pas choquer! »

Tu vois, mon amour, je ne crie pas, je ne pleure pas, j'essaie de comprendre pourquoi il y a tant de viols perpétrés par des hommes qu'on aime. Pourquoi?

Aide-moi à comprendre. Veux-tu?

Ta femme,

Julie

Laurent est assis dans sa voiture devant la maison de ses parents. Il attend depuis une bonne demi-heure. Il en profite pour envoyer des textos à ses amis pour leur apprendre la nouvelle du nouveau délai. Il compose ensuite le numéro de Léa.

— Allô, Léa, c'est moi. Tu as reçu la nouvelle?... Léa, arrête, tu me cries dans les oreilles... Décolère, crisse!... Léa?

Il sait qu'il n'a pas le droit de la voir ni de lui téléphoner, mais il se croit au-dessus des lois et pense sincèrement qu'il va convaincre Léa de retirer sa plainte d'agression sexuelle.

Il aperçoit sa mère par le rétroviseur. Elle cherche ses clés dans son sac à main. Il descend de l'auto.

— Mom!

Elle se retourne, regarde son fils sans sourire, sans prononcer un mot. Elle entre chez elle. Il la suit jusque dans la cuisine.

— Tu le sais que c'est reporté ?

Elle ne répond pas, se prend une bière, en offre une à Laurent. Sans un mot.

— T'as l'air en maudit.

— Je suis pas contente de toute cette affaire, point.

— Ce serait pas arrivé si Léa en avait pas fait tout un plat. C'est pas si grave. Dans le feu de l'action, ça arrive, ces affaires-là. Moi, c'est ma réputation…

— Ma parole, on dirait que c'est toi, la victime. C'est pas elle qui t'a agressé, c'est toi ! C'est elle, la victime !

Laurent est surpris que sa mère ait cette réaction-là. Il ouvre la bouche, sa mère s'approche de lui pour lui faire face.

— Je suis en colère contre toi, contre moi, moi qui n'ai pas su te montrer le respect dû aux femmes, comme si « respect » était un mot de mon temps, que c'était plus à la mode, le respect.

— Mom, arrête, t'as rien à voir là-dedans. T'es coupable de rien. Moi non plus, d'ailleurs. Avec les filles, c'est rendu qu'il faut signer un contrat de quatre pages avant de coucher avec elles. Depuis le mouvement #MoiAussi, les femmes, faut les prendre avec des pincettes. Entre gars, on s'en parle, on se demande si on devrait pas virer de bord. Les gais ont pas ce problème-là.

— C'est une farce, je suppose ?

— Oui et non. Je trouve que ça devient de plus en plus compliqué, les relations amoureuses. On va finir par haïr les femmes, puis ce sera de leur faute.

— Plus compliqué que dans les films d'action que tu regardes depuis que t'es petit. Un gars désire une fille, il l'embrasse, la soulève dans ses bras jusqu'à la chambre en la déshabillant, il la baise. Remarque que je dis pas qu'ils font l'amour. Ça ressemble plus à la chasse au gibier qu'à l'amour.

« Prends tous les James Bond, pas de négociations pour ce qui est du condom, des positions, des limites… les maudites limites à respecter, hein ! Pas de consentement, hein ! Lui, il tire son coup, il repart. La fille est contente. Il a daigné la baiser. Ton père puis moi, ça se passe pas comme dans les films.

— Tu vas pas me raconter tes nuits avec p'pa, NON ! Je veux pas savoir ça !

Il n'en peut plus, il se dirige vers la sortie.

— Laurent, assieds-toi, puis écoute. Bon !

Elle est fatiguée de n'être écoutée ni par son mari ni par son fils. Elle a monté le ton comme son mari sait si bien le faire. Laurent enlève sa veste, la dépose sur le dossier de la chaise, s'assoit, et sa mère redevient douce.

— J'ai eu mes premières menstruations tôt, à onze ans. J'ai eu des seins avant les autres filles. Ma cousine m'a fait porter une de ses vieilles brassières, en cachette. Sans brassière, j'avais honte : les gars plus vieux me sifflaient, me reluquaient. J'étais pas la petite Julie. J'avais des tétons, des boules. Mon identité, c'était ma poitrine même si elle était menue. Les hommes qui m'avaient jamais regardée me dévoraient des yeux.

Laurent a de la difficulté à imaginer sa mère en objet de convoitise.

— Quand j'ai appris à ma mère que son frère, mon oncle Arthur, me tâtait les seins, elle m'a empêchée de porter le soutien-gorge, elle disait que je provoquais son frère, ce pauvre oncle Arthur qui avait perdu sa femme… Mon père, lui ? Il ne m'a pas crue. D'après lui, je voyais des prédateurs sexuels partout. « Pas mon oncle Arthur ! Un si brave gars. T'inventes ça ! » m'a-t-il dit. Quand, étudiante, je lui ai dit que j'étais harcelée par un professeur, il m'a chicanée. Je portais mon linge trop ajusté. J'avais juste à partir quelques minutes avant la fin du cours. Quand le notaire chez qui je postulais une place de copiste pour l'été m'a reçue dans son bureau les culottes à terre, le pénis en érection, je l'ai dit à mon père, il le connaissait. Papa ne m'a pas crue, moi, sa fille. Le notaire, un homme important, ne pouvait pas faire un tel geste, je n'allais pas salir sa réputation. D'après lui, la parole d'un adulte, instruit en plus, valait cent fois plus que celle d'une fille. L'agresseur est protégé par les lois faites par des hommes et par la complicité des autres hommes, armés d'un fusil de chair comme lui. En tant que fille, je n'avais qu'à me protéger d'eux. Comment? En ne sortant pas le soir? En m'habillant lousse et long, et surtout en ne me coiffant pas pour mettre en valeur mes cheveux rien que pour attirer les garçons, parce que, eux, avec leur testostérone, ils étaient incapables de retenir leur fusil! Comme si c'était le fusil qui tirait et non l'homme derrière! Un homme, c'est un homme! Un gars, c'est un gars! Une fille, c'est quoi? Une paire de seins et de fesses?

Laurent n'en peut plus d'entendre sa mère. Elle a dû lire ses maudits livres de féministes.

— Ç'a changé, mom... C'est plus comme dans ton temps. De nos jours, le patriarcat... c'est dépassé.

— La culture du viol, ça, c'est un mot nouveau, mais c'est la même chose que le patriarcat, la domination des hommes, appelle ça comme tu voudras. C'est votre façon de lutter contre notre besoin d'égalité ! Chaque agression sexuelle est un moyen de nous mettre à notre place, en dessous de vous, hiérarchiquement parlant. Tant que vous considérez les femmes comme des objets sexuels, vous avez le pouvoir sur nous, et avec le pouvoir vient l'abus de pouvoir.

Laurent est surpris. Jamais sa mère ne lui a parlé ainsi. Il ne sait pas quoi penser ni dire. Il se lève. Fait couler l'eau du robinet et le referme.

— Ben là, je pense que je vais y aller.

— La loi en ce moment est contre les victimes et pour les violeurs. Ce sont les victimes qui sont mises à nu, pas les agresseurs.

Julie s'étonne un peu de son élan, de sa fougue, mais elle s'est si longtemps retenue…

Laurent, exaspéré par les reproches de sa mère, l'interrompt :

— Qu'est-ce que tu veux ? Je suis né gars. Qu'est-ce que tu veux que je fasse, que je change de sexe ?

Julie n'a qu'un mot qui lui vient à l'esprit :

— Insignifiant !

— Je m'excuse, mom, mais t'es *heavy* des fois.

— T'es reconnu pour trouver des idées. Tu gagnes grassement ta vie avec tes idées, ben fais quelque chose. Faut que ça change, faut que tu changes.

— Maman, t'es dure. Je suis pas un violeur…

— Comment t'appelles ça ? Ta blonde te dit non, tu le fais pareil. C'est un viol. Dis-moi pas le contraire, je me suis renseignée. Un non, c'est un non. Si tu ignores le non de ta blonde, tu la violes. Si t'as pas son consentement, tu la violes. T'as violé ta blonde. T'aurais été marié avec elle, ç'aurait été un viol pareil.

Elle lui ouvre la porte, le met pratiquement dehors. D'abord, il ne bouge pas, puis finit par se lever et se diriger vers la sortie. Il n'en revient pas : sa mère, sa mom l'engueule. Il tente de reprendre le dessus de la discussion :

— T'as pas le droit…

— Toi, t'as pas le droit de traiter les femmes comme si elles étaient des objets.

Elle referme la porte, retourne à la cuisine, épuisée, vidée par sa colère, mais contente d'elle. Elle se regarde dans le miroir. Pousse un grand soupir.

« Eh, que ça fait du bien ! Eh, que c'est le fun de pas être gentille pour une fois ! Il va plus vouloir de moi ? Tant pis pour lui ! »

C'est juste si elle ne se donne pas un petit bec dans le miroir.

Allô p'pa . Les procédures sont retardées. Je t'invite au restaurant de ton choix à ton prochain séjour à Montréal.
Ton fils

***

Mon mari,

Je me remets à peine de ma rencontre avec Laurent. Un doute me trotte dans la tête depuis quelques jours. Si je rencontrais Léa ? Je vais lui envoyer un courriel. Je te tiens au courant.

Ma chérie,

Laisse tomber ! Lâche prise ! Oublie ! Tourne la page ! La vie est devant nous. Pas derrière.

Ton mari qui n'aime pas te voir souffrir,
Paul

Assise à la terrasse du café Chez Patrice, Julie se questionne.

«Je regrette déjà. Quelle idée folle de rencontrer la victime de mon fils. Et si je m'en allais? Ce n'est pas comme si je ne la connaissais pas. Léa était la blonde de Laurent depuis huit mois. Ils ne vivaient pas ensemble, mais c'était tout comme. Moi, j'étais aux anges. Il me présentait enfin une fille qui avait de l'allure, de l'intelligence, de la tendresse à revendre et belle en plus! Je l'ai aimée tout de suite et j'ai souhaité que cette fois cette passion aboutisse à une union stable… un peu plus, en tout cas, que les autres. Je ne souhaitais même pas que mon fils fasse un mariage en bonne et due forme comme moi, pour la vie, mais qu'il ait un genre d'union. Dans le fond, je me meurs d'être grand-mère. Je me vois grand-mère. Qu'est-ce que je veux, qu'est-ce que je cherche en

la rencontrant? C'est pas beau, mais je serais tellement soulagée si Léa était un peu, un petit peu responsable de ce qui est arrivé, un peu. Ça n'a aucun
sens, ce que je fais là! Je retourne chez moi. »

Elle se lève, ramasse son sac à main. Une
jeune femme traverse la rue en direction de la
pâtisserie.

« C'est elle! Elle était blonde, et la voilà acajou
comme... C'est bien elle! Mon cœur bat comme
quand j'ai peur. J'ai peur de ce que je vais dire.
Je regrette mon geste. Trop tard pour partir. Léa
s'approche. Un glaçon ambulant. »

— Ah, c'est vous! J'étais pas sûre... Vous avez
changé vos cheveux.

— C'est moi.

« Je la sens aussi mal à l'aise que moi. Je me
demande quoi faire, je suis gauche. Je viens pour
l'embrasser sur une joue, elle recule. »

— Je resterai pas longtemps. Je me demande
même ce que je fais ici.

— Le temps de goûter aux scones de Patrice.
Je suis folle des scones. Vous? Toi?

Et Julie parle, parle de scones comme pour
enterrer sous les mots le malaise de la rencontre.
Une serveuse vient prendre la commande.
Lorsque les deux femmes sont seules de nouveau, Julie lui avoue:

— Je vais te faire une confidence. Dans mon cœur, je souhaitais que vos amours… que tu deviennes ma belle-fille, la fille que je n'ai pas eue. C'est fou, hein ?

— Qu'est-ce que vous me voulez ? Votre fils m'a violée ! On dirait que ça vous touche pas. Comprenez-vous ça ? Votre Laurent parfait, c'est un écœurant, c'est un violeur, essayez pas de m'amadouer ! C'est un v-i-o-l-e-u-r. Je n'aurai plus jamais confiance en un homme. Il a brisé ma vie, puis vous m'invitez à prendre le thé ! Faut le faire !

Julie est blessée au plus profond de sa maternité. Elles restent l'une en face de l'autre. Julie prend sa voix douce :

— Tu sais, je suis la mère de Laurent, mais je suis une femme aussi. Les agressions sexuelles, je connais. J'ai vécu avec cette peur-là toute ma jeunesse. J'ai peur encore. Toutes les femmes ont peur de sortir seules le soir, comme si un violeur en cagoule allait surgir de derrière un arbre, alors que, la plupart du temps, la victime connaît l'agresseur. On a peur pareil. Il m'est arrivé de l'être, agressée sexuellement, quand j'étais jeune, un oncle… Tu vois, t'es la première à qui je le dis. Les mononcles avaient beau jeu quand ils agressaient leurs nièces, ils étaient certains de pas être punis puisque personne dénonçait, pour pas briser la sacro-sainte famille.

— Julie ! J'ai dénoncé ! Mais je me demande à quoi ça sert. À quoi ça sert ? Au Québec, il y a beaucoup de dénonciations, quelques procès, mais peu d'hommes punis par la loi. La justice est pas juste. Moi qui suis douce, je suis en crisse.

La serveuse apporte à Léa son thé et un scone aux bleuets. Un ange passe. On n'entend que les bruits de la rue.

— Léa, je ne suis pas ici pour défendre mon fils, mais pour comprendre. Il me semble que, si je comprenais, je souffrirais moins. Comme c'est là, je me fais cent scénarios alors que c'est peut-être simple, ce qui s'est passé.

Julie repose ses deux fesses d'aplomb au bout de sa chaise.

— Je veux juste comprendre quelque chose…

Et elle ajoute d'un trait :

— Aviez-vous bu ?

Léa éclate de rire, un rire rempli d'amertume, de déception, puis le sérieux reprend le dessus.

— Même si j'avais été soûle, même si j'avais été nue, j'étais pas consentante. Julie, j'avais dit non. Il le savait. Je lui avais dit que je voulais pas… ben, c'est gênant à dire…

On jurerait que Julie ne veut pas entendre la réponse, car elle continue son idée :

— Quand on a bu, on distingue pas toujours ce qui est bien de ce qui est mal. Je te blâme pas, là, mais c'est grave, accuser un homme, détruire sa réputation, détruire ses parents, sa mère, moi, sa mère... Je suis blessée à mort, Léa.

Léa recule sa chaise, pousse son thé et, même si le scone l'appelle de tous ses bleuets, elle repousse l'assiette.

— Puis moi ? Moi, je suis pas blessée ? C'est moi, la victime, pas vous. C'est moi, la victime ! Me comprenez-vous ? J'aurai tout entendu ! D'une femme qui se dit féministe en plus ! Puis, Julie, même si j'étais nue et que j'avais bu, j'avais dit non, mais ce que dit une femme devant le désir bandé d'un gars, ça compte pas, ç'a l'air. Comme si une fois amorcé, l'acte devait se terminer selon ses désirs à lui.

Elle lui crie presque :

— Il m'a fait ce que je voulais pas qu'il me fasse ! C'est-tu clair ? Faut-tu que je vous fasse un dessin ? Il a suivi sa queue plutôt que sa tête.

Julie a honte d'avoir posé ces questions stupides, mais elle a mal à son fils. Elle voudrait bien que quelqu'un d'autre partage sa culpabilité. Elle se fait toute petite sur sa chaise. Elle déteste les préjugés qu'elle s'entend formuler à l'égard des victimes, mais défendre son fils est soudain plus fort qu'elle.

— Essaie de comprendre, Léa. Les hommes ont de la difficulté avec le non.

Léa est outrée :

— Vous voulez innocenter votre fils en m'accusant, moi !

Léa prend de l'assurance.

— Votre Laurent est un enfant roi qui a toujours eu ce qu'il voulait. Il fait toujours ce qu'il veut. Il obtient toujours ce qu'il désire. C'est le genre de gars qui prend ses désirs pour des ordres. On peut pas dire non à monsieur. Ça l'excite, ça le motive à continuer de plus belle. Il a frappé un mur avec moi. Ça veut pas dire que j'aime pas baiser, mais la sodomie, j'aime pas ça et je veux pas… Une autre fille aurait trouvé que c'est agréable, peut-être… pas moi ! Moi, c'est non ! Il le savait. Il en a pas tenu compte. Je l'ai dénoncé et je ne retirerai pas ma plainte.

Julie ne lâche pas le morceau. Sauver son fils viendrait amoindrir sa culpabilité de ne pas l'avoir désiré.

— As-tu dit un vrai non, assez fort, assez ferme pour qu'il comprenne ?

Léa dépose sa tasse si violemment sur la table qu'elle renverse du thé.

— Vous m'accusez, moi, la victime, d'être responsable de l'agression sexuelle que j'ai subie. Maudite marde ! Elle est forte, celle-là !

Julie se referme sur elle-même, dépitée, profondément malheureuse, honteuse.

— J'aurais pas dû, je le sais.

— Je suis pas un ange, j'ai eu des amoureux avant Laurent. J'ai trente-six ans, et je peux conclure de mes expériences que l'agression sexuelle, c'est pas un acte sexuel, c'est du contrôle. Ce que Laurent a pas aimé, c'est que je lui refuse ce qu'il voulait. Il était vexé, comme humilié, en perte de contrôle, quoi. J'héberge en ce moment ma cousine, qui est travailleuse sociale, et elle dit que c'est pas l'excès de testostérone qui fait les agresseurs. D'après elle, la majorité des violeurs sont des gars ordinaires qui, devant le succès des femmes et l'importance qu'elles prennent dans la société, sentent le besoin de les remettre à leur place. Laurent, ça le flattait que je sois une femme forte qui réussit. Il a fait ma conquête, puis il m'a violée pour me montrer lequel de nous deux était le boss. C'est inconscient, je le sais, mais c'est là pareil. Je sais pas où il a fait son éducation sexuelle, mais il croyait que, s'il me donnait un orgasme, je lui serais reconnaissante à vie. Quand je lui ai dit que je pouvais m'en donner toute seule, des orgasmes, il s'est choqué. Votre fils, Julie, il est comme bien des hommes qui agressent, ils ont peur que les femmes prennent le contrôle.

— Pas tous les hommes, quand même !

— Non, pas tous, mais Laurent, oui.

Julie est déconfite, désappointée. Léa aussi.

— C'était ça, le but de la rencontre, Julie ? M'accuser pour déculpabiliser votre garçon, pour que vous puissiez cesser d'avoir honte de lui ?

— Je suis sa mère.

— La culture du viol, c'est aussi des mères qui croient que c'est la faute des femmes si leurs fils sont des agresseurs sexuels.

— Tous les hommes ne sont pas des violeurs, mon mari m'a jamais…

— Tous les hommes ne sont pas des violeurs, mais beaucoup d'hommes profitent de la culture du viol. En dénonçant pas leurs chums de gars qui respectent pas les femmes, en fermant les yeux sur leurs frasques et en essayant de les excuser quand ils sont dénoncés pour des agressions envers les femmes.

— Laurent est pas de même !

Léa boit une lampée de thé refroidi et se lève.

— C'est pas votre fils, la victime, c'est moi. Je suis pas responsable de mon agression. Je suis la victime.

Léa regarde Julie si intensément que celle-ci baisse les yeux. Elle sent soudain une grande fatigue l'envahir.

Malgré tout, Julie lance une dernière réplique :

— T'aurais pu te défendre, lui donner un coup dans les parties.

— Vous avez jamais eu peur, vraiment peur, Julie ? Moi, ça me paralyse, la peur. Je bouge pas, je crie pas, je me bats pas, je fige. Je connais peu de femmes qui osent attaquer l'agresseur. J'étais paralysée par l'angoisse, incapable de penser clairement, je me suis laissé faire pour que ça finisse au plus vite, pour éviter une escalade de la violence. Et puis… j'aimais Laurent.

Mon mari,

Je t'imagine dans un motel de bord de route, où tu t'es arrêté pour dormir. Je suis tannée de penser à toi couché dans ta *van*. Je me suis mise au lit avec une question qui tue, comme dirait Guy A. Lepage: c'est quoi, un vrai homme?

J'attends ta réponse.

Ta femme,

Julie

Ma chérie,

J'adore tes petits seins! Au moins, eux, ils ne tombent pas avec les années. *Joke* de gars pour te rappeler que je suis un gars, un vrai homme. Tu parles d'une question! T'as le tour de m'empêcher de dormir, toi. Ça veut dire quoi, cette question-là, être un vrai homme? Je crache à terre, je pisse debout, je me mouche en me pinçant une narine et en soufflant par l'autre, je sacre. Je me gratte le paquet, je vérifie au quart d'heure si mon pénis est là, donc je suis un homme! Tu m'as vu en costume d'Adam, je suis pas une fille. J'ai jamais douté de ma virilité. Jamais! Je suis un homme et fier de l'être.

Si ça veut dire être un super homme, c'est pas moi. C'est mon père. Mon père travaillait dans la construction, il était démolisseur, il y a pas plus viril. Il était fort comme un cheval, il avait peur de rien. Travaillant! Il a fait cinq beaux enfants à ma mère. Mon père, il avait ma mère pour se faire une famille, puis il avait des guidounes ici et là pour avoir du fun. Ma mère le savait, mais elle a jamais dit un mot. Où serait-elle allée? Elle avait pas de métier, donc pas de façon de gagner sa vie. Elle était pas malheureuse, je pense. Elle connaissait sa place, puis elle restait à sa place. Richard, mon chum, lui, c'est un vrai gars, pas marié, pas d'enfants, libre. Il pense juste à courailler, un don Juan. Pour lui, vivre avec une femme pendant trente ans… pas capable! Les femmes, c'est l'une après l'autre. Je suis pas sûr qu'il aime les femmes tant que ça, mais il en a besoin pour sa santé sexuelle. Il est pas de l'autre bord, je le saurais.

Plains-toi pas, je suis pas comme mon père, moi, j'ai accepté que tu travailles. J'ai accepté qu'on ait pas une grosse famille puis qu'on vive à Montréal, dans le béton, en ville, moi qui aime tant la campagne. Si je travaille au loin, c'est pour te payer une belle maison, un beau char, des belles vacances l'été que tu pourrais t'offrir, je le sais, avec le salaire que tu gagnes, mais pas aussi bien. Et puis, tu me combles dans le lit, même si t'as grossi, que t'as un peu vieilli et que t'as des petits seins. C'est une farce! Je suis fidèle. Et crois-moi, c'est rare!

Des fois, pas souvent, je vais aux danseuses pour accompagner mes chums, question de renouveler mes fantasmes. Mais je regarde jamais de porno quand t'es là, t'aimes pas ça. Est-ce que je suis un vrai homme? Oui. On peut dire ça! Plus moderne que mon père, en tout cas. Lui, il aurait pas supporté une fille comme toi, qui a du caractère, qui est plus instruite, qui sait ce qu'elle veut, qui se dit féministe. Lui, c'était la femme au foyer, à sa place, l'homme au travail. Moi, je suis un vrai homme. Tu voudrais pas que je sois comme les gars qui sont des sortes de filles, qui restent à la maison à élever les enfants pendant que leurs blondes travaillent. C'est pas des vrais gars. Je l'ai! Pour moi, un vrai gars, c'est le contraire d'une vraie fille. Puis c'est ben correct de même.

Ça répond-tu à ta question?

Je pense à toi et je crois que tu t'en fais trop avec l'histoire de Laurent.

Je t'aime,

Ton mari

Papa ce soir à 9 heures, peux-tu
faire un FaceTime avec moi? Même
si tu détestes cette patente-là,
comme tu dis.
Envoie-moi un texto oui ou non.
Laurent

Oui oui oui. À 9 heures pétantes.

***

Ma chère femme,
   Je profite de ma pause de 4 heures pour par-
tager la grande nouvelle avec toi. Mon garçon,
mon Laurent, veut me parler par FaceTime. C'est
la première fois. C'est vrai que je lui ai toujours

dit que j'haïssais FaceTime et que je l'ai boudé. De toute façon, je déteste tout ce qui me complique l'existence. Enfin, il veut me parler, c'est lui qui fait les premiers pas, et ça, ben, c'est de l'or en barre pour un père. Tu peux arrêter de t'en faire. Je prends l'affaire en main. Entre hommes, je pense que ça va être plus simple de parler de ces choses-là.

Toi, tu travailles dans un milieu de femmes. C'est logique que tu voies juste le mauvais côté des hommes. Depuis qu'il y a eu un gros écœurant de magnat du cinéma américain qui profitait des filles qui voulaient jouer dans les films à Hollywood (je sais pas comment écrire son maudit nom), on dirait que nous, les hommes, on est tous devenus des monstres. Je suis pas fou, je sais qu'il y a des abuseurs qui profitent de leur pouvoir et de leur richesse. J'ai honte d'eux autres. Ça t'arrive pas, toi, d'avoir honte de certaines femmes? Des garces, des chipies, il y en a. Tu vas me dire que ce sont les hommes qui battent les femmes, mais des femmes battues, il y en a toujours eu, puis demande pas à une femme battue pourquoi elle se fait battre, elle le sait. Calme-toi, c'est une farce!

N'empêche que je connais un gars soupe au lait. Sa femme arrête pas de le provoquer. Elle sait qu'il est mauvais. Pourquoi elle se tient pas tranquille? C'est pas lui, le responsable de sa colère, c'est elle qui le fait choquer. Je te ferai remarquer que, moi, j'ai jamais, au grand jamais, levé la main sur toi ni sur personne. On est pas violents dans ma famille. J'ai pas besoin de te battre pour me prouver que je suis un homme. Avec mes gros bras, mon torse en tonneau, ma grandeur, ma grosseur, je te fais-tu peur? Non! Hein? Toi seule sais que je suis un gros nounours dans le fond. Puis un nounours, ç'a pas de sexe, je veux dire que c'est ni masculin ni féminin. Ça se peut-tu, ça, être ni l'un ni l'autre?

Bon, Julie, je suis tout mêlé. C'est quoi, être masculin, à part les couilles et le pénis? Peux-tu me renseigner? Je sais ce qu'est la virilité: je suis viril avec la barbe, les muscles, la force et tout et tout, mais ma masculinité? Des fois, en conduisant mon *truck*, je pense à mon père. Lui, c'était clair. Mais moi, je suis qui ou quoi? T'as réussi à me mêler les esprits. J'ai-tu du féminin en moi? C'est ça, ta question? Ouache! J'espère que non! Une fille qui travaille en construction a-t-elle plus de masculin que toi qui te dévoues dans une job de fille? Moi qui t'aime, après quarante ans de mariage, qui te consulte, qui veux te faire plaisir, qui dis comme toi pour ne pas te brusquer, est-ce que je suis un vrai homme ou une lavette ? Qu'est-ce qu'un vrai homme ?

J'ai hâte de te lire.

Ton mari,

Paul

Le ciel est bleu, le soleil baisse. On dirait que la population entière de la ville est descendue sur les trottoirs en quête d'une table en terrasse. Laurent cherche depuis une heure l'endroit propice à la drague. Il a soif, il a faim, ses nouvelles sandales lui font mal aux orteils. Il est fatigué de rentrer les quelques onces de graisse que l'hiver a déposées sur son ventre. Juste comme il s'apprête à rentrer chez lui, bredouille, il aperçoit devant une pizzeria modeste une petite table vide. Il s'installe. La serveuse sort du restaurant en furie.

— Un instant ! T'attends en ligne en dedans comme tout le monde. Pour qui tu te prends, coudon ?

Il connaît son pouvoir de séduction. Il prend sa voix vibrante et chaude :

— Je te paye un *drink* après ton service et je vais aller te reconduire. J'aime ça, des filles comme toi, fortes.

Il affiche son sourire désarmant.

— Tu vas venir me reconduire puis tu vas vouloir me baiser pour me faire payer la *ride*? Je les connais, les gars comme toi. Je suis pas un sac à sperme!

Tous les clients ont entendu la voix tonitruante de la serveuse. Laurent se lève et quitte la terrasse le plus dignement possible. Il n'a plus soif, il n'a plus faim. On pourrait s'attendre à ce qu'il se justifie en maudissant les femmes, mais non. La tête basse, il poursuit sa route.

«Pourquoi, crisse, pourquoi je fais ça? Pourquoi on fait ça, les gars?» Il s'achète une bouteille d'eau, un sandwich au jambon dans une distributrice, s'assoit sur un banc public.

«Plus moyen de draguer, de flirter, plus moyen de rien. Les filles sont devenues agressives. Je les reconnais plus. Ma propre blonde m'a accusé de l'avoir violée alors que je voulais juste mettre du piquant dans nos ébats. Comment un homme peut continuer à aimer une fille qu'il fréquente s'il ajoute pas un peu de variété? La position du missionnaire, c'est dépassé. Pas surprenant que le divorce soit plus à la mode que le mariage. Les gars s'ennuient à faire toujours la même affaire. Je suis de mauvaise foi. Crisse que je me fais des accroires. Ce que je veux, dans le fond, c'est être aimé à ma manière. J'avais trouvé la bonne fille qui m'aimait, que j'aimais, pourquoi j'ai fait ça? Elle voulait pas. Je vais envoyer un texto à Léa, un texto d'excuse. Les filles aiment ça, un gars qui s'humilie devant elles, ça pogne toujours. Ça va compter pour le juge. J'espère tomber sur un homme comme juge, sans ça je suis fait!»

Il sort son téléphone de sa poche de veston de lin.

> Léa, je regrette. Mille excuses.
> Laurent

«C'est parti. Ouf! Ça va mieux. Non, je veux juste qu'elle retire sa plainte pour que ma réputation ait pas une sale tache qui part pas au lavage. Je suis retombé dans ma maudite "mâlitude". Je fais des "*fake* excuses". C'est comme imprégné en moi, j'arrive pas à changer.

«Les femmes ont changé, changent tous les jours, puis moi, je reste comme je suis, à l'abri dans mon armure. C'est pour ça qu'il y a tant de célibataires, que les couples durent pas! On a une armure qu'on a peur d'enlever. D'un coup que les filles découvriraient que, derrière la carapace, il y a juste un petit crétin. Non, non, je change pas, je suis bien, moi, dans mon armure. L'égalité ? Je serais-tu plus heureux comme homme ? Je pourrais-tu baiser à mon goût ? D'un autre côté, la maudite cuirasse commence à m'étouffer. Mais sans elle, je vais être juste moi, donc vulnérable. Si les femmes voyaient les hommes sans leur façade de virilité, voudraient-elles de nous ? J'ai-tu une telle soif d'être aimé ? Pourquoi c'est si difficile, les rapports hommes-femmes ?

« Depuis #MeToo…

« Qu'est-ce que ça m'a fait, #MeToo ? La vérité vraie, j'ai eu honte d'appartenir à un sexe qui fait ce genre d'abus. J'ai compris que, quand t'es riche à plus compter tes millions, que t'as la capacité de faire et défaire la carrière des gens, ça doit être tentant d'abuser de ton pouvoir. Puis, il y a les exemples de Roman Polanski, de Charlie Chaplin, de Woody Allen. T'es riche, t'as du pouvoir, t'es célèbre : t'es pas puni. Jusqu'à ce que le mouvement #MeToo change la donne. Moi, si j'étais riche – je le suis, mais pas autant –, est-ce que je ferais comme eux ? Crisse, je l'ai fait ! Je suis un écœurant comme eux ! J'aurais pas dû agresser ma blonde… trop de troubles. Maudite armure de virilité que je porte. Je serai-tu capable de me l'enlever un jour ? Il y a moi, puis il y a l'armure fabriquée par des siècles de patriarcat. Quelqu'un, venez m'aider à l'enlever ! Moi qui suis capable de tout, ça, j'y arrive pas. »

Avant de quitter le parc, Laurent ouvre Tinder.

— Es-tu là, Laurent?

— Je te vois pas, p'pa, pèse sur l'icône de la caméra vidéo.

— Où ça?

— En haut!

— Je l'ai. Je te vois juste les narines. La face me pend, c'est pas moi, certain. Je suis pas ridé de même!

— Relève ta tête ou ta tablette.

— Ah! C'est mieux. Maudit que je suis laid là-dessus. Tu me parles d'où?

— De ma cuisine. Toi?

— Dans un motel. Laurent, c'est mon premier FaceTime de toute ma vie, puis c'est avec mon fils. Allô, mon fils.

— Allô, mon papa!

Paul est ému. Sa bouche s'amincit, se tord. Il déglutit. Il ne veut pas pleurer, mais les larmes jaillissent de ses yeux et coulent. Laurent, qui ne voit jamais son père pleurer, sent l'émotion le gagner aussi.

— P'pa, fais pas ça.

Paul renifle, les larmes s'écoulent par ses narines. Comme beaucoup d'hommes, il ne sait pas pleurer, faute d'entraînement.

— On va se parler au téléphone, O.K.?

— Non, papa! J'ai besoin de ta présence, genre.

Paul rajuste son vieux t-shirt de Bob Marley, essuie ses yeux avec sa manche et redevient le père de Laurent.

— Qu'est-ce que t'as encore fait?

— J'ai réfléchi.

— Bon, c'est nouveau. C'est une farce.

— P'pa, je vais pas bien…

— T'es malade?

— Non, non. Il y a juste que je suis pas content de moi.

— Toi? Ça me surprend. Tu fais de l'argent comme de l'eau, t'as les filles que tu veux.

— P'pa, veux-tu m'écouter, s'il te plaît? J'ai besoin de parler à quelqu'un qui…

— T'as ta mère, c'est à elle que tu te confies d'habitude.

Ça, c'est une vacherie. Paul a toujours été jaloux de l'intimité de Laurent avec sa mère.

— Ma mère, c'est une femme. J'ai besoin de toi, papa. T'es un homme.

Paul a toujours eu du mal à se départir de sa carapace de père bourru, mais quand il entend que son fils a besoin de lui, il redevient l'homme tendre qu'il est dans le fond.

— Qu'est-ce qu'il y a, mon gars?

— J'en peux plus de faire semblant. Ça fait un an que je m'organise pour avoir l'air de la victime, alors que c'est moi, le coupable, et Léa la victime. Léa, je l'ai agressée sexuellement… pour vrai. Je trouve le mot « viol » violent. Ça le dit: viol-ent.

— Bon, ta mère t'a mis ça dans la tête.

Ils se regardent sur leurs écrans respectifs. Puis Paul tranche. Il se trouve vieux et laid dans l'image que lui renvoie son iPad.

— FaceTime, c'est pas la place. On se parlera le mois prochain quand je vais revenir à la maison. Si quelqu'un nous entendait… Les réseaux sociaux, il paraît que c'est Big Brother.

— P'pa, j'ai été cave. Je suis un maudit cave. Puis je suis pas tout seul, il y a plein de gars comme moi. Le pire, p'pa, c'est que Léa, je l'aimais, je pensais même faire ma vie avec elle. Même me marier et tout le tralala.

— On va se parler au téléphone…

— J'en peux plus de moi, qui fais comme si ça s'était pas passé. Comme si j'avais le droit de faire de ma blonde ce que je veux. J'en peux plus de mon avocat, qui passe son temps à me parler de filles qui accusent des gars de viol par vengeance, de femmes qui font de l'argent avec ça. Je sais ce que j'ai fait, p'pa. C'est un viol. Point final.

— Dis pas ça ! Écoute-moi bien, junior. D'abord, on viole une fille qu'on connaît pas, pas sa blonde. Une blonde est censée faire plaisir à son amoureux et vice versa. Le viol, tout le monde le sait, c'est un *bum* qui saute sur une fille. T'es pas un *bum*, loin de là.

— Non, p'pa, je suis pas un *bum*, je suis un agresseur, puis un agresseur, c'est un bon gars comme moi qui veut contrôler sa blonde. C'est pas un acte sexuel, c'était un acte de contrôle. Tu sais comment je déteste me faire dire non. Léa m'a dit non, et mon réflexe a été de lui montrer qui était le boss. Maudit cave !

Un long silence suit, pendant lequel les deux hommes se regardent dans les yeux. C'est forcé avec FaceTime.

— Me semble, je peux me tromper, que t'as dit à la police que t'avais rien fait de ce dont elle t'accusait.

— Qu'est-ce que tu voulais que je dise, que c'était vrai, puis que j'aille en prison ? Je me suis défendu. Tu m'as toujours dit de me défendre. Mais là, le temps passe, je regrette d'avoir… je regrette… tout ! J'ai fait quelque chose qu'elle voulait pas que je fasse. Comprends-tu ?

— Oui, mais c'était ta blonde, c'est pas pareil. « Ce qui se passe en dessous de la couverte, disait mon père »… c'est ça, l'intimité dans un couple. Tout est permis entre gens consentants.

— Elle était pas consentante ! P'pa, dans ton temps, peut-être que non passait pour un oui, mais aujourd'hui…

— Ta mère arrête pas de me parler de ça ! Ce qu'elle comprend pas, ta mère, puis la plupart des femmes, c'est qu'un gars, quand il bande, faut qu'il aille jusqu'au bout, c'est physique. On est bâtis de même. T'es certain que personne peut écouter ce qu'on dit dans cette patente-là ?

— P'pa, je voulais juste te dire… que j'ai honte, puis j'ai pas l'habitude d'avoir honte. J'haïs ça.

— Ça manque pas, les filles qui veulent se *matcher* avec un gars qui réussit bien en affaires, qui est grand, beau bonhomme. T'es chanceux, tu fais de l'argent. Faire de l'argent, c'est un pouvoir. C'est pour cela que j'ai tout offert à ta mère. J'avais peur de la perdre si je lui offrais pas la sécurité, le confort, puis tout ce qui vient avec. Comme c'est là, elle peut à peine m'endurer et on se voit pas.

Il rit jaune parce que sa semi-blague est une totale vérité.

— P'pa, j'ai beau faire de l'argent, les filles en font plus, parfois, de nos jours. Ça change tout. Si tu te fais vivre par une femme, t'es quoi?

— Un gigolo.

— On peut-tu évoluer, les gars?

— Si on évolue trop, on va devenir des filles.

— Puis? Elles ont l'air plus heureuses que nous autres.

Ils se regardent, et Paul, qui veut sortir son fils de sa tourmente, a recours à un truc qu'il utilise souvent: accuser la personne qui t'accuse.

— Ton ex-blonde devrait avoir honte de t'avoir fait tout ce trouble-là, de te mettre dans cet état-là. Ta mère est en train de virer folle. Elle «veut comprendre».

Laurent poursuit sa pensée sans l'écouter vraiment.

— C'est-tu vrai, ça, que les viols sont moins une affaire de sexe que de contrôle? Ça se pourrait-tu que, plus les femmes sont nos égales, plus il y a d'agressions, comme si on se vengeait... inconsciemment, en les remettant à leur place? Je te dis pas que j'ai raison, je te dis juste que, depuis que je sais que mon affaire va traîner encore, je suis déçu. J'aurais aimé que ça se règle plus vite. Comme c'est là, j'ai le temps de penser. C'est pas correct que je profite d'une loi qui privilégie les hommes. Ça nous donne le droit d'abuser.

Paul n'en peut plus.

— Laurent, arrête ! Écoute ton père ! Moi, à ta place, je tournerais la page. Je passerais à autre chose, ben, à d'autres filles. Tu me rappelles ta mère, qui ressasse tout, tout le temps. Elle est sur le bord de radoter.

— Je voulais juste te faire part de ce que je pense de ce genre de dénonciation, maintenant que ça m'est arrivé.

— Une chance, il y avait pas ça quand j'étais jeune. On risquait pas de se faire accuser par les femmes.

Laurent sait qu'il a peu de chances de changer la mentalité de son père, mais il continue.

— Sais-tu qu'en Inde, de nos jours, il faut quatre témoins du viol pour que l'agresseur soit condamné, et si la victime ne trouve pas de témoins, elle reçoit quatre-vingts coups de fouet ? En Tunisie, si la victime épouse le violeur, il sera innocenté. En Algérie...

— C'est loin, ces pays-là. On est en Amérique…

— Justement, aux États-Unis, dans les universités, une étudiante sur cinq est violée, puis au Québec, depuis vingt ans, douze femmes en moyenne par année meurent aux mains de leur mari, une Polytechnique par année !

Paul est comme électrocuté par cette vérité.

— J'ai jamais tué une femme ! J'ai même jamais trompé ta mère.

Paul est déçu. Il aurait voulu trouver les mots pour soulager son fils. C'est raté.

— En tout cas, merci, p'pa.

Paul comprend qu'il a désappointé son fils.

— Je te demande pardon, Laurent. J'ai pas appris à communiquer. Ta mère a eu beau essayer de me faire parler de mes émotions, j'ai jamais voulu. Je me protège, ça doit. Je t'ai pas aidé beaucoup, je pense.

— Je voulais pas que tu m'aides, je voulais juste que tu sois là pour m'écouter. M'as-tu compris un peu ?

— Je te comprends… plus que tu penses.

Et pour fuir les questions de son fils, il invente une excuse facile.

— Laurent, faut que je dorme, je me lève à 5 heures demain matin.

— Merci, p'pa.

— Non, remercie-moi pas. C'est moi qui te remercie, ça m'a fait du bien juste de parler.

Laurent sourit.

— Comment ça se ferme, ce maudit bidule-là ?

— Je vais fermer, moi.

— Bye, mon gars. Heille, je t'aime !

— Bye ! Moi aussi.

Les écrans deviennent noirs. Laurent est apaisé et Paul savoure ces premiers moments d'intimité avec celui à qui il a donné la vie.

***

Ma femme chérie,

Tu vas être fière de moi. J'ai fait un FaceTime avec Laurent hier soir. Super ! Maintenant, on va se parler comme ça, toi et moi, c'est encore mieux que le courriel, le téléphone ou les textos. Je te FaceTime ce soir, 7 heures. Tu vas voir, c'est le fun.

Ton mari,
Paul

Mon cher Paul,

Non, c'est non ! Je ne veux pas. Pour quelle raison ? Parce que je vais me sentir obligée de rester à la maison au cas où tu m'appellerais sur

FaceTime, parce que de loin tu vas contrôler mes allées et venues, et que je vais me sentir coupable si j'ai une sortie. De plus, je me trouve ridée sur FaceTime et j'ai assez du grand miroir dans la salle de bain qui me dit que je vieillis.

Julie

C'est un rituel depuis le cégep, Laurent et ses trois amis intimes se rencontrent chaque mois pour prendre une bière et s'empiffrer de moelle de bœuf et de frites dans une brasserie du centre-ville. Il y a Simon, trente-huit ans, bedonnant, le cheveu rare, notaire, marié, divorcé, pas d'enfants. Michel, quarante ans, le sportif qui fait un Ironman chaque année, court les marathons, gérant d'une quincaillerie en banlieue. Il collectionne les blondes. Il n'a qu'à montrer son *six-pack* et les filles tombent dans ses bras. Puis il y a Nick, un beau ténébreux à l'accent slave. Il est marié, a trois enfants. Michel lève son verre :

— À l'innocence de Laurent !

— Les gars, j'ai pas dit que j'étais innocent, j'ai dit que la cause était remise.

— À la justice !

Ils lèvent leur bière, mais avec moins d'enthousiasme. Laurent, qui ne veut pas que ses amis s'at-
tardent à son histoire, change la conversation :

— Puis toi, Michel, ta nouvelle conquête ?

— *Flushée !* Comment mon père dit ça, déjà ?
Une de perdue, dix de retrouvées. Heille, les gars,
les filles sont plus possibles. Elles se prennent
pour qui ?

Laurent siffle entre ses dents :

— Des hommes !

Personne ne rit, Michel continue sur sa lancée :

— J'ai développé une tactique qui fonctionne
à la planche. Je choisis une fille qui correspond
à mes critères de beauté, des gros seins, un gros
cul, une petite taille, puis je la lâche pas, des compliments, des fleurs, des chocolats.

Rires sceptiques.

— Puis un soir, je dis pas un mot, je souris pas,
rien, je prends une de ses mains et la plaque sur
mon pénis bandé. Je vous dis, on est rendus là…

Nick prend la parole :

— Moi, j'ai tout ce qu'il me faut à la maison.

Simon profite du silence pour s'exprimer :

— La séduction, c'est devenu un sport extrême
pour les gars. Je rencontre une fille dans un bar,
on jase, on s'entend bien, je la trouve belle, elle
me trouve de son goût. Je lui offre un verre de

bulles avec des huîtres. J'en commande douze. J'haïs les huîtres. J'en mange six de force. J'offre d'aller la conduire. Elle accepte. On arrive chez elle à Pointe-aux-Trembles, chose, un méchant bout de mon condo à Verdun, elle m'offre un café. Je me dis que l'affaire est ketchup.

Ils l'écoutent tout en préparant leurs histoires à eux dans leur tête.

— Elle ouvre la porte. Je saute dessus, façon de parler. Je saute pas fort, après tout, c'est une femme, elle pèse cent livres tout habillée, je veux pas l'écrabouiller ! Elle me repousse. Moi, ça m'excite. Elle se met à crier : « Non, non ! » Je suis obligé de lui mettre une main sur la bouche, elle crie trop fort, je veux pas que les voisins appellent la police. Il est passé minuit. La maudite cinglée me mord la main. Moi, jouer *rough*, ça m'excite. Ç'a été… je vous dis que ç'a été wow…

On lit sur son visage le souvenir d'un orgasme super de luxe. Il revient sur terre et conclut très sérieusement :

— L'interdit décuple la saveur de l'orgasme comme le glutamate décuple la saveur des mets chinois.

Michel interrompt son ami tant il a hâte de surenchérir :

— Les filles, je m'excuse, mais j'en ai connu plus que vous tous ici. Les filles, elles disent non pour se donner du temps avant de dire oui. Prenons juste nos mères, quand on était petits. Avec elles, c'était non d'abord, oui ensuite. Hein, Laurent?

Laurent se tait. C'est la première fois depuis qu'il les connaît qu'il les écoute avec l'oreille d'une fille. Michel enchaîne:

— Ça fait partie de la séduction de dépasser les limites de la fille. Elle est ben contente après. Qu'est-ce qu'elles cherchent, les filles? Des vrais hommes, pas des moumounes! L'homme rose des années 1990? Ç'a pas pogné. Vous allez voir, quand les femmes vont nous faire signer un contrat de consentement en trois copies, les gars banderont plus. Elles vont être ben avancées... La fille, là, elle le savait que tu la désirais. Pourquoi elle a accepté l'apéritif, les huîtres, puis que t'ailles la reconduire? Elle est conne ou quoi? Si elle voulait pas coucher, fallait pas accepter l'invitation. C'est pas honnête. Les filles sont pas honnêtes!

Nick s'interpose:

— Les gars, je vous le dis depuis le cégep: le mariage, il y a rien de mieux. Au moins, t'as pas à dépenser une fortune en soupers, en essence. T'as le sexe à la maison, gratos. Ta fille du bar, Simon, elle voulait la grosse vie, mais sans rien donner en retour. Le mariage, c'est l'assurance sexe !

Michel lui coupe la parole, il continue sa pensée :

— C'est rendu qu'on flirte, ça les agresse ! Moi, les femmes, je les fais taire quand elles me sortent « la culture du viol ». Je suis pas un violeur pantoute. Je suis le gars le plus doux au monde. Je me lève pas le matin en me disant : « C'est ce soir que je viole ! » Non, je me dis : « Ce soir, je baise. » Avec qui, je sais pas toujours. Mais le soir, pas tous les soirs, j'ai comme tous les gars de mon âge un besoin urgent, comme une faim à satisfaire. On est fait de même. Comment je vais jouer ma *game* pour finir ma journée en *scorant*? La *game* existe entre les hommes et les femmes depuis le temps de *Gros Magnum*.

Les trois amis se jettent un regard, mais ne le corrigent pas. Michel a la mèche courte.

— J'ai le droit de jouer ma *game* à ma manière. Et la mienne est un peu *rough*, mais la plupart des femmes aiment ça se faire brusquer. Puis les filles ont pas tellement le choix d'accepter cette approche-là si elles veulent pogner.

Son copain père de famille met son grain de sel d'homme marié :

— T'es pas tout seul à pas savoir par quel bout prendre les femmes. Ça allait bien, les hommes et les femmes, avant #MeToo. On marchait ensemble vers l'égalité. Arrive Weinstein aux États et Rozon ici, puis les femmes se mettent ensemble pour dénoncer les agressions sexuelles. C'est l'hystérie collective. Tous les hommes seraient des violeurs. Wooh là! Puis pour ce qui est de #MeToo, je me sens pas concerné : j'ai pas de pouvoir, je suis pas encore riche, puis je suis marié.

Il se penche vers Laurent et ajoute sur un ton paternel :

— Laurent, t'as pas violé Léa. T'es juste allé un peu vite, comme ça arrive à tous les gars. Un gars a le droit d'aller à son rythme. Si on finit par suivre le rythme des femmes, on va rester aux préliminaires.

Les quatre hommes rient. Le mot «préliminaires» a un sens péjoratif, comique, dans leurs bouches. La serveuse, qui a vu que les pichets de bière étaient vides, s'amène dans sa jupe courte et son corsage échancré, ordre du propriétaire. C'est le concert de compliments usés :

— Qu'est-ce que tu fais à soir, bébé?

— Elle est-tu belle un peu, dit Nick.

— Moi, j'y ferais pas mal, ricane Michel.

Laurent, mal à l'aise, se tourne vers la serveuse :

— Excusez mes amis. Les additions, s'il vous plaît, mademoiselle.

Les copains de Laurent se taisent. Ils le regardent. Laurent sent qu'il vient de tomber de son piédestal de vrai homme. La serveuse revient avec les additions. Les farces plates sexistes reprennent de plus belle. Laurent paye sa part et sort le premier. Une fois sur le trottoir, ses amis l'entourent.

— Qu'est-ce qui te prend ?

— Si on peut plus faire de farces avec les serveuses !

— Habillée de même, elle pense quoi ? Qu'on va la présenter à notre mère ?

Laurent prend congé. Il affiche l'air mystérieux de quelqu'un qui a un rendez-vous secret. Les autres restent sur le trottoir, intrigués.

Mon cher mari,

Ces jours-ci, je pense beaucoup aux premières années de Laurent. Je venais de découvrir à cette époque qu'un système établi depuis des siècles prônait partout la domination de l'homme sur la femme. Je ne savais pas comment élever mon fils. Si seulement j'avais eu une fille... Je lui aurais donné les clés pour qu'elle devienne une femme indépendante, mais un garçon ? À sa puberté, je n'ai pas aimé sa façon de traiter les petites filles, alors j'ai cherché dans les livres le pourquoi et le comment de la domination masculine. Ma recherche m'a menée forcément au féminisme. Un jour où je t'expliquais que je voulais l'égalité pour les hommes et les femmes, tu m'as dit sur un ton définitif :

— Les féministes, toutes des mal baisées.

Je me suis mise à rire, et tu as compris qu'en m'accusant d'être mal baisée, c'est toi que tu accusais. Je reviens à notre fils. Tu te souviens que ma tante Johanne avait récupéré tous les vêtements qu'elle avait tricotés pour la parenté et me les avait donnés? Or, la plupart étaient roses, parce qu'on fait surtout des filles dans ma famille. Tu as tant rouspété quand tu as vu ton fils en rose qu'il a fini par haïr cette couleur. Comme si le rose était une marque de faiblesse. Tu m'as même dit:

— Tu vas en faire une tapette.

Je ne te blâme pas. Moi aussi, les stéréotypes ont conditionné ma façon d'élever Laurent. Aucune mère ne songe à féliciter sa fille parce qu'elle soulève un meuble. «Oh, qu'elle est forte!» On lui dit trop souvent: «Tu seras pas capable, c'est trop lourd pour toi.»

Un bébé fille qui crie fort, on la fait taire, un bébé garçon fait de même, on s'exclame: «Il a de la voix!» Le garçon fait une colère, il a du caractère, il sait ce qu'il veut, une fille fait une colère, elle est hystérique.

Quand on lui refusait ce qu'il voulait, la colère de Laurent arrivait comme une bombe accompagnée de cris et de coup dans les murs. Je le punissais évidemment, mais, dans le fond, je l'admirais de laisser monter en lui son émotion, et surtout de l'exprimer, moi qui ai toujours refoulé ce que je ressentais au plus profond de moi. Fallait que je sois gentille.

À la puberté, Laurent s'est éloigné de moi et rapproché de toi. Quand tu venais à la maison, vous faisiez du sport ensemble. Il t'embrassait, te cajolait, alors qu'il me refusait même un petit bec sur la joue. Nous n'avions pas, toi et moi, la même conception de l'adolescence. Pour toi, c'était l'éveil à la sexualité, pour moi, c'était sa rupture d'avec moi. Un jour de semaine, alors que j'écoutais l'émission américaine *The Oprah Winfrey Show*, je suis tombée des nues. Une journaliste avait fait une enquête sur cinquante adolescentes à propos de leurs pratiques sexuelles. J'apprenais que, dans des partys dits «arc-en-ciel» ou *rainbows*, des filles de treize et quatorze ans mettaient du rouge à lèvres de couleurs différentes et faisaient chacune une fellation aux adolescents présents. Celle qui avait laissé la marque de son rouge à lèvres le plus bas sur le pénis gagnait le concours. Je ne le croyais pas. Heureusement, ce n'était pas ici, au Québec! Plus tard, j'ai lu qu'une croisade d'abstinence s'amorçait aux États-Unis, croisade qui n'a pas fonctionné :

les jeunes croient encore que la solution de rechange à la pénétration, c'est la fellation, que la façon d'empêcher les naissances, c'est la fellation, que ça fait partie des préliminaires à la pénétration.

Une de mes patientes de quatorze ans m'affirmait ceci pendant que je lui faisais son échographie : « Tu commences par *frencher*, puis tu passes à la pipe tout naturellement. Il n'y a aucun danger de tomber enceinte ni d'attraper des I.T.S. de cette façon. » Je n'ai pas pu m'empêcher de lui dire :

— Et seul le gars a du plaisir.

Elle m'a répondu :

— Oui, mais tu gardes ton chum et t'as pas à lui dire non, ce qui cause des conflits.

— Et s'il te demande comme preuve d'amour de pratiquer le sexe anal, tes raisons tiennent toujours ?

— Oui, tout pour avoir un chum. Si t'as pas de chum, tu te fais traiter de lesbienne. Je veux avoir un chum. Je fais ce qu'il faut.

— Au prix de ne pas recevoir de réciprocité dans l'amour, au prix d'être traitée en objet, au prix de rester sur ta faim sexuellement ?

Elle m'a répondu que c'est comme ça. Que les gars ne peuvent pas se retenir. Que c'est à cause de leurs hormones et que, pour les filles, ce n'est pas pareil.

Paul, j'avais envie de lui décrire nos nuits d'amour où la réciprocité tient toute la place. J'étais un peu gênée, mais j'ai avancé :

— Et les gars, ils vous font un cunnilingus en retour ?

Elle a sursauté.

— Non, les gars ont le dédain des vulves, des poils, ça leur paraît sale, puis si tu te fais épiler, ils disent qu'une vulve, c'est laid.

J'ai ri, mais je ne trouvais pas ça drôle du tout. Avant qu'elle parte, je lui ai quand même dit qu'on pouvait attraper une I.T.S. en faisant une pipe. Renoncer au plaisir pour plaire à son chum n'est pas de bon augure pour l'avenir de l'égalité entre hommes et femmes. Si j'avais eu une fille… mais j'ai eu un gars. Est-ce que j'ai assez parlé à mon fils de la sexualité ? Est-ce que toi, tu lui as assez parlé de sexualité ? Était-ce à moi ou à toi de lui en parler ? Je te demande juste d'essayer de comprendre avec moi pourquoi notre fils est devenu un agresseur sexuel.

On en reparle la semaine prochaine de vive voix.

Ta femme qui t'aime. Ne l'oublie pas !

Julie

Julie est partie tôt de la clinique où elle travaille pour aller se faire coiffer et s'acheter, en vente, une robe qui ne fasse ni technicienne de la santé en congé, ni maîtresse affamée de sexe, ni épouse esseulée. Une robe qui cache ses formes, un peu arrondies par le temps, mais qui met en valeur ses petits seins. Elle doit passer par la pharmacie pour acheter un fond de teint lumineux dont elle a vu l'annonce dans un magazine féminin chez le coiffeur.

Elle se dit qu'avant on se poudrait pour effacer le luisant de la peau, alors qu'aujourd'hui la peau du visage doit luire comme si on sortait d'une séance de gym. Autres temps, autres mœurs. Elle rentre chez elle de bonne humeur, heureuse de revoir son Paul. Elle s'affaire aux fourneaux pour lui cuisiner les biscuits qu'il aime. Ce soir, il l'invite au restaurant. Elle se regarde dans le miroir :

— Décidément, le fond de teint, ça aide.

Une clé tourne dans la serrure. Elle court ouvrir.

— Wow !

— Allô, Paul !

— Qui c'est ça ?

Il la siffle. Elle rougit de plaisir.

— Mais entre, voyons !

Il entre, mais au lieu de se rendre aussitôt au réfrigérateur pour se prendre une bière, comme il le fait d'habitude, il la soulève, la fait glisser tout le long de son corps. Il la désire. Elle tente de se déprendre.

— Non, mon amour, non.

— J'ai envie de toi, ça fait des semaines que j'attends...

Elle le repousse d'abord gentiment, puis plus fermement.

— Non, chéri, pas tout de suite !

— Pourquoi ?

— Mes cheveux ! Mon maquillage ! Tu vas froisser ma robe.

Il la lâche d'un coup, la regarde dans les yeux.

— T'as quelqu'un !

Ce n'est pas une question, c'est plutôt une constatation.

— Moi ? Non. Pourquoi tu dis ça ?

Il la reprend par la taille.

— Au yable les cheveux, puis le rouge à lèvres, puis la robe !

Il l'entraîne dans la chambre, la dépose sur le lit, lui tient les poignets au-dessus de la tête en s'allongeant sur son corps. Elle lui envoie un coup de genou entre les jambes !

— T'as quelqu'un !

Cette fois, le ton est affirmatif.

— J'ai personne, je te le jure. C'est que mon plan, c'était pour après le souper.

Il se tient l'entrejambe. Il prend son air de chien battu.

— C'est ça, un mari fait je sais pas combien de kilomètres pour voir sa femme, elle y sacre un genou dans les gosses...

Julie retourne à la cuisine. Il la suit.

— Mon père a toujours dit : « Une femme a pas le droit de refuser le sexe à son mari. »

— Il est mort, ton père.

Ce qui vexe encore plus son mari. Il s'approche d'elle.

— Je le connais ? Hein ? Dis-moi son nom que j'aille y casser la gueule.

— Paul, arrête ! Je suis fidèle. Je l'ai toujours été et tu le sais.

— Un gars s'ennuie de sa femme, il arrive chez lui, puis il se fait revirer.

— J'ai dit «pas tout de suite». Pas tout de suite, c'est pas «jamais».

— Oui, mais moi, j'ai envie tout de suite.

— Pas moi!

— Pourquoi tu t'es mise belle, d'abord?

Elle ne sait que répondre. Puis :

— Je me suis mise belle pour moi, pour me remonter dans mon estime et pour toi aussi. J'aurais aimé que tu me sautes pas dessus en arrivant. Que tu prennes le temps de me regarder avant. Mon look m'a pris du temps et de l'argent. J'aurais voulu que tu en profites un peu, c'est tout. Et puis, non! C'est pas la vraie raison. Une question m'a traversé l'esprit en t'ouvrant la porte. Si on couchait pas ensemble, peut-être que tu viendrais pas juste pour ma présence. À ce compte-là, je me sens un peu «poubelle», puis j'aime pas cette sensation d'être un objet sexuel jetable après usage. Et si tu veux toute la vérité, je voulais savoir…

Elle prend une grande respiration.

— Je voulais savoir ce qui arriverait si je te disais non. Tout ce que je lis sur le consentement…

— Je suis pas un gars à qui on dit non, tu le sais.

D'un bras, il tasse le plateau de fruits frais, de l'autre, il la couche sur la table. Julie se laisse faire. Elle sait depuis quelques années que, quand Paul a une érection, il faut en profiter. Il remonte sa robe, lui enlève sa culotte. Au moment où il la pénètre, elle lui dit calmement en le regardant droit dans les yeux :

— Tu le sais que tu es en train de me violer.

D'un coup sec, il se relève sans un regard pour sa femme, étendue le sexe à l'air sur la table de la cuisine. Il s'enferme dans la salle de bain, d'où elle l'entend se soulager sous la douche.

Au restaurant, ils mangeront en silence. Au retour, ils se coucheront chacun de leur bord, sans se parler. Le lendemain matin, à table, pas un mot.

Puis soudain…

— Écoute, Julie, t'as beau t'enfler la tête avec tous tes maudits livres sur #MeToo et sur l'égalité hommes-femmes, il y a une chose que tu connais pas puis que tu peux pas connaître parce que… parce que t'es pas un homme. Un homme a… des pulsions. Il faut qu'il se soulage, sans ça… C'est pour ça que la prostitution disparaîtra jamais et que les femmes…

— … doivent soulager leur mari ?

— Euh, oui ! Ben, c'est normal. On est pas faits pareil. On a la pulsion sexuelle qu'il faut assouvir quand on a un désir, puis quand on est pas capables, ben, on sait pas ce qui peut arriver.

Regarde Laurent. Il se fait une blonde, elle lui met des restrictions, il a perdu le nord.

— Dans le fond, c'est la faute de Léa s'il l'a violée?

— Je dis pas ça, je dis que les hommes, quand ils sont en état… ôte-toi de là, faut que ça saute!

— Qu'est-ce que tu fais quand je suis pas là? Qu'est-ce que t'as fait hier dans la douche? Me prends-tu pour une conne? Qu'est-ce que tu penses que je fais quand j'ai des pulsions, parce que j'en ai, puis que t'es pas là? Je me masturbe.

Paul avale la révélation de sa femme comme une gorgée de café salé. Il repart, vexé. Julie est triste, elle aurait aimé parler plus de leur relation, de leur sexualité, mais c'est chose interdite par Paul. «On le fait, on a pas besoin d'en parler.» C'est pourtant un mari soucieux du plaisir de sa femme, mais il ne se voit pas discuter de ce qu'ils se font sexuellement. D'après lui, on ne parle pas plus de ce qui se passe dans le lit entre deux personnes que l'on divulgue le salaire qu'on gagne. Julie pense qu'un couple est intime quand les deux personnes peuvent discuter de leurs goûts et dégoûts en amour. Elle est découragée. L'égalité lui semble de plus en plus une utopie. Elle regarde sa liste:

– Pain au fromage

– Beurre

– Lait

– Laurent

Elle s'interroge.

«Qu'est-ce que Laurent vient faire dans ma liste d'épicerie? Ah oui! Lui téléphoner. Non, s'il veut me parler, qu'il m'appelle, lui, je l'appelle pas. Mauvaise mère! Non, pas mauvaise, juste mère passable qui fait son possible, avec ses connaissances limitées.»

Elle se souvient qu'elle a eu Laurent par surprise. «Je ne le voulais pas... pas tout de suite. J'allais peut-être me faire à l'idée d'avoir un ou deux enfants, mais quand je serais prête... plus tard. C'était important pour moi de m'acclimater à mon nouveau travail, de m'habituer à mon nouvel état de femme mariée. Il a toujours fallu que je pèse le pour et le contre avant de faire un geste.»

Elle s'assoit. Un flash! Paul et elle. Ils sont jeunes tous les deux. Ils sont nus. Ils font l'amour autrement. En levrette. Et puis, plus rien. La scène a disparu. Elle cligne des yeux pour se souvenir davantage, mais il y a une porte noire à double battant qui se referme sur le souvenir.

«Je veux voir derrière la porte !» Ce rêve éveillé est fréquent. Il surgit le jour, la nuit. Elle regarde l'heure sur la cuisinière. Ça y est, elle va être en retard à son travail. Elle vérifie si tout est en ordre, prend son sac à main, son sac à lunch. Dans le métro, elle se jure qu'un jour elle aura la force d'ouvrir la porte à battants et de regarder ce qu'il y a derrière.

Bonjour Léa,

Tu vas me trouver effrontée, mais j'aimerais communiquer avec toi par courriel afin de m'enlever certaines idées de la tête. Mon imagination m'emmène dans des scènes violentes, grotesques. Je suis certaine que la vérité est moins pire que ce que me suggère mon imagination. Laurent est un bon garçon malgré tout. Si tu ne veux pas, je comprendrai. Pour pouvoir continuer à vivre dans une certaine sérénité, j'ai besoin de savoir.

Julie

P.-S. Je m'excuse pour l'autre fois. Je me suis mal conduite avec toi. Je le regrette, ça ne se reproduira plus. Tu es la victime, Laurent l'agresseur.

Julie,

Ce n'est pas facile pour moi de m'exprimer sur ce qui s'est passé exactement, entre Laurent et moi. Ce qui se déroule entre un homme et une femme doit rester entre eux, mais puisque vous me demandez ma version des faits, j'accepte de vous la donner.

Vous connaissez l'histoire de notre rencontre, de notre coup de foudre. On se désirait, on ne voulait faire qu'un. On était au paradis quand on atteignait chacun l'ultime jouissance. Il avait été entendu pendant nos caresses exploratoires que je n'aimais pas la pénétration anale, mais sans qu'on en parle plus avant. J'en avais peur, puisque je ne l'avais jamais expérimentée, je trouvais sale cette façon de faire l'amour. Il m'a rassurée en me jurant que, ce qu'il voulait, c'est me plaire.

Un soir, chez lui, Laurent m'a demandé de regarder avec lui un film porno dans lequel il y avait ce genre de… geste. Je lui ai répété que, ça, je ne voulais pas. Je le lui ai dit sans trop m'y attarder. C'est un sujet que je trouve vulgaire. Tout, mais pas ça ! Il n'a pas insisté. Je pensais que c'était réglé.

Un autre soir, on avait un peu bu, plus que d'habitude. On était tous les deux particulièrement allumés. Et puis est arrivé un moment où il a tenté de me pénétrer de cette façon. J'ai dit non, pas fort mais fermement, et il a continué, même si à un moment je lui ai crié d'arrêter, il a continué. Ça m'a fait très mal, Julie. Après, il m'a expliqué qu'il n'avait pas pu se retenir, que ça ne m'avait sûrement pas fait si mal que ça. Je l'ai arrêté avec un « Je ne voulais pas ». Il m'a traitée de sainte nitouche. Quand je l'ai traité de violeur, il m'a étourdie de ses justifications, mais surtout de « Si tu m'aimais vraiment… ».

C'était, d'après lui, la preuve d'amour ultime. Ça m'a donné un choc. Finalement, il s'est rhabillé en me reprochant de ne pas être dans le coup, en me disant que je ne trouverais pas un gars qui voudrait d'une fille comme moi, qui met des restrictions. Il m'a parlé de la supposée libération sexuelle des femmes… Il m'a presque convaincue que j'étais frigide, anormale, en tout cas.

J'ai pris un taxi pour rentrer chez moi et j'ai tout raconté à ma cousine, la travailleuse sociale que j'héberge pendant sa maîtrise. Elle m'a assuré que j'avais subi un viol, puisqu'il m'avait pénétrée sans mon consentement. Elle a ajouté que 94 % des viols sont commis par des hommes que les victimes connaissent. C'est elle qui m'a persuadée d'aller à la police. J'ai pensé à vous,

Julie, sa mère, à la peine que je vous ferais, mais j'ai surtout pensé à toutes les filles qui étaient agressées quotidiennement et j'ai voulu que ça cesse, cette violence faite aux femmes.

Comme vous, Julie, je cherche à comprendre pourquoi un homme aussi bien que Laurent se conduit comme un animal sans cervelle quand il a une érection. Il n'a pas respecté ce que je disais. Il a passé outre, comme si ma parole ne valait rien, comme si une érection ne pouvait qu'aboutir dans un des trois trous de la femme.

J'en ai parlé avec ma mère, qui m'a élevée seule avec mes deux sœurs, dans le respect de moi-même et des autres, et on en est venues à découvrir que Laurent est le représentant fidèle du système dans lequel on vit : le patriarcat. Laurent a pris son modèle de virilité chez son père. Un homme bon, travaillant, mais convaincu de la supériorité de son sexe. Il a élevé son fils de loin sans s'impliquer vraiment, sans prendre ses responsabilités paternelles. C'est Laurent qui me l'a confié. Il a pris son modèle de féminité sur vous, une mère qui fait tout pour ses hommes, tout, sans jamais rien demander en retour, qui dit toujours oui même quand elle veut dire non et qui sert encore son steak haché et ses biscuits Whippet à son capricieux garçon.

En plus, les hommes ont ceci que nous n'avons pas encore complètement : la fraternité. Pourquoi les hommes mènent-ils le monde ? Parce qu'ils se réunissent entre eux dans des *boys clubs* copiés sur le plus important de tous les *boys clubs*, celui du Vatican. Les *boys clubs* religieux mènent le monde. D'ailleurs, vous trouverez tout ce que je dis dans le livre de Suzanne Zaccour, *La Fabrique de viol*, que ma mère m'a prêté.

Avouez que l'égalité entre les femmes et les hommes est loin d'être accomplie. Je réfléchis de plus en plus à ma condition de femme. Mais oui, il y a des progrès, puis, oui, les femmes agressées sexuellement dénoncent enfin et elles sont écoutées depuis #MeToo, mais le changement de comportement des hommes n'arrive pas vite. Et pourquoi les hommes changeraient-ils alors qu'ils ont la meilleure part ? Pourquoi la parole de l'abuseur vaut-elle la même chose aux yeux de la loi que ma parole de victime ?

Je crois que, si j'étais un homme, je ne voudrais pas que le système change. Je tiendrais à garder mes privilèges. Si j'étais un homme, est-ce que je voudrais vraiment l'égalité ? Rassurez-vous, ce ne sont pas que les parents qui font de leurs fils des abuseurs sexuels, mais le système dans lequel on vit. Vous et moi, on ne peut pas le changer, ce système. Seuls les hommes peuvent le changer, se changer.

Je vous laisse sur une réflexion. Ce n'est pas que les hommes prennent toute la place, c'est qu'ils le font ensemble. C'est par sororité que je réponds à votre courriel, et non parce que vous êtes sa mère.

Voilà ! Vous savez tout.

Léa

Léa,

Je reconnais m'être conduit injustement avec toi. Je te demande pardon. Je le regrette. Je me mets à genoux, je t'implore de retirer ta plainte. Je ne recommencerai plus jamais. À part ce qui est arrivé, on s'aimait… On pourrait…

Ton Laurent

Laurent,

Je ne suis pas ta mère ! Elle satisfaisait tous tes caprices pour ne pas te perdre. Moi, je veux te perdre, toi, et tous les hommes comme toi qui se pensent supérieurs aux femmes. Ta mère finissait toujours par te pardonner, et tu recommençais, sûr de ton impunité.

Je sais que ce passage à la cour va nuire à ta carrière, mais moi, ce n'est pas ma carrière qui est atteinte, c'est ma vie. J'ai perdu confiance en les hommes! Je suis découragée des hommes comme toi, qui ne songent pas une minute à changer.

J'ai fait une petite enquête au travail, dans mon salon de coiffure. Je suis toujours barbière. Rien n'est plus propice aux confidences d'un homme que lorsqu'il se retrouve une bavette autour du cou, de la mousse plein le visage et dans l'impossibilité de bouger sans risquer de se faire entailler le menton. D'après mes clients, jeunes et moins jeunes, pas un d'entre eux n'a jamais touché de près ou de loin à une femme sans son consentement. Tous m'avouent ne pas être concernés par le sujet des femmes violées puisqu'ils n'arrivent pas à s'imaginer dans ce rôle odieux. « JE NE SUIS PAS UN VIOLEUR! » Ils perçoivent le violeur comme un maniaque privé de sexe ou comme un pauvre diable si défavorisé physiquement qu'il doit forcer une femme pour avoir du sexe.

Quand je leur parle des victimes d'agressions sexuelles, la plupart croient qu'elles ont couru après en fréquentant des endroits comme les bars, les festivals, etc. Ils ont une idée claire de la bonne victime et de la mauvaise victime. Les bonnes victimes se défendent, griffent, donnent des coups de pied dans les organes génitaux et se sauvent. Elles ne se font jamais violer par quelqu'un de connu et en position de pouvoir, mais plutôt par un homme cagoulé, tard le soir, qui guette ses proies dans une ruelle sombre. La bonne victime se rend immédiatement après le viol au poste de police. Elle ne se lave pas avant, pour pouvoir montrer des traces du crime : robe déchirée, parsemée de sperme, ou corps marqué de coups. Sinon, pas de preuves, pas de viol. La parole d'une femme ne vaut pas grand-chose. Les mauvaises victimes sont celles qui, après des années de silence, accusent par désir de vengeance un pauvre gars qui avait pris un verre de trop et était allé peut-être un peu trop loin. Non, Laurent, mes clients ne sont pas des bandits, des affreux, des odieux, ce sont nos frères, nos pères, nos chums, nos amis. Toi !

Je suis une féministe bien ordinaire qui veut juste plus d'égalité. Je suis une femme qui aime l'amour et le sexe, mais je ne suis pas prête à tout pour avoir un homme dans ma vie.

J'ai été une victime typique. J'ai figé raide. Je ne me suis pas sauvée. J'ai dit « Non, arrête », et tu ne t'es pas arrêté. J'ai attendu que ça finisse. Toi, tu as fait comme si de rien n'était. Rendue chez moi, j'ai pris un bain chaud pour apaiser la douleur. Je n'étais pas en colère, j'avais de la peine que toi que j'aimais me traites en objet sexuel, en fille de porno. Je savais que, parce que je refusais ce que tu voulais, c'était fini. Je ne pouvais plus te faire confiance. Marie-Fleur voulait que je te dénonce tout de suite à la police, mais moi, je t'aimais. Puis je me suis souvenue d'avoir entendu à la télévision une comédienne qui racontait ce qu'un policier lui avait dit, alors qu'elle dénonçait un homme connu : «Vous savez que vous allez détruire sa carrière, sa famille. Pensez à lui, pensez à eux.»

La bonne victime pense au bonheur de son agresseur avant le sien.

Et là, Marie-Fleur m'a affirmé que, de toute façon, il n'y a que 10% des plaintes qui mènent à des poursuites criminelles, et moins de 10% à une condamnation.

Il y a de quoi réfléchir, non?

Léa

***

Laurent est passé chez sa mère, avant le souper, sous prétexte de lui donner un bisou. Il est triste, voire abattu. Il a besoin qu'elle lui dise, comme d'habitude : « C'est pas grave. Ça va s'arranger. »

Au lieu du traditionnel steak haché, elle lui sert une tranche de jambon et des patates pilées. Pas de Whippet. Dès son repas avalé – de travers –, Laurent ouvre sa tablette et lui fait lire le courriel de Léa. Attentif, Laurent suit sur le visage de sa mère les émotions qu'elle ressent à mesure qu'elle poursuit sa lecture. Il lui met la main sur l'épaule. Elle lève le regard vers lui, et au lieu de la colère prévue il y découvre des larmes, qui coulent sur ses joues. Il se laisse aller à pleurer, lui qui se vante de ne jamais pleurer, elle ne le repousse pas. Elle essuie ses larmes avec ses doigts.

— Pleure, pleure, mon chéri. Ça va te faire du bien.

— Maman…

Il se lève, elle lui tend les bras. Elle le berce comme elle le peut, il fait une tête de plus qu'elle. Elle attrape une boîte de mouchoirs en papier.

— Mouche-toi, mon grand.

Il obéit. Il a cinq ans. Elle est troublée. C'est si rare de voir pleurer un homme. Elle l'entraîne par la main au salon, le fait asseoir sur le tapis, dos à elle, installée sur le sofa, pour qu'elle puisse jouer dans ses cheveux comme avant, quand elle devait le calmer. Il reste ainsi de longues minutes dans le pays sécuritaire de l'enfance. Elle s'adresse à lui comme s'il était malade :

— Je suis responsable.

Il se dégage.

— Maman, c'est pas toi, c'est pas papa, c'est moi. Moi seul. Pourquoi j'ai fait ça ?

— Notre système de pensée qui dure depuis toujours, partout ou à peu près, est responsable du fait que les hommes ont le contrôle sur les femmes et s'en servent, et ne sont pas prêts à le laisser tomber pour l'égalité.

— Mom, où t'as pris ça ? Tu parles comme un livre.

— Depuis que c'est arrivé, tu sais quoi, je m'informe en lisant beaucoup sur les viols et les agressions, sur la violence faite aux femmes. Puis j'ai appris que c'est le patriarcat, le système dans lequel on vit, qui est le grand coupable. Reste que, moi aussi, je t'ai élevé en gars, j'ai admiré ta force physique, le fait que tu gardais tes émotions pour toi. Un vrai petit homme. Ton père aussi a joué un rôle là-dedans, il t'a donné l'exemple d'un homme qui prend pas ses responsabilités de père. Le père absent. Dans notre société, on donne des avantages aux hommes juste parce qu'ils sont nés du « bon » sexe, ce qui fait que les hommes veulent pas perdre les privilèges qu'ils ont depuis toujours, alors ils changent pas... Si tu veux comprendre tout ça, j'ai des livres, ils sont là.

— Je vais les lire si ça peut te faire plaisir.

— C'est pas assez de les lire, il faut changer. Il faut que les hommes changent parce que les femmes ont changé. Elles seront plus jamais soumises.

Laurent prend tous les livres sous son bras, embrasse sa mère.

— Ça m'a fait du bien de brailler. C'est comme si j'avais eu une roche au dedans de moi, puis que je l'avais garrochée dehors. Une fois vidé de tous mes refoulements de larmes, j'ai comme vu plus clair. Les hommes qui agressent les femmes, c'est peut-être un peu parce qu'ils se sont jamais donné la permission de pleurer.

Penaud, il s'arrête devant le grand miroir du vestibule, et il se parle :

— Je vais changer mon « Un gars, c'est un gars » pour « Un non, c'est un non », puis le dire aux femmes.

— Laurent, c'est pas aux femmes qu'il faut que tu dises ça, c'est aux hommes. Nous autres, on a changé, même s'il y a encore du chemin à faire. C'est à votre tour. Ça peut pas rester comme ça.

Il continue à se regarder dans le miroir, comme s'il se découvrait sans son masque viril. Il a honte.

Plus tard, chez lui, Laurent se demande si tous les hommes sont comme lui. Il se rappelle un certain Sébastien qu'il avait rencontré lors d'une partie de pêche chez un pourvoyeur quelques années plus tôt. Un vrai homme comme il aurait voulu être. Il ne se souvient pas de son nom de famille. Mais il se remémore clairement leurs conversations à cœur ouvert dans la chaloupe. Il s'était confié à cet étranger comme jamais il n'avait pu le faire avec son père. Sébastien était devenu son modèle d'homme.

Laurent cherche dans ses cartes de visite celle de Sébastien. Il la trouve, pense envoyer un texto, mais choisit plutôt le téléphone, plus personnel.

Mauvais numéro.

Léa est rentrée de son travail déprimée. Marie-Fleur est couchée en fœtus sur le sofa, elle semble exténuée. Léa s'abandonne dans le fauteuil rose à côté. Elles se consultent du regard. Trop épuisées pour se cuisiner un repas, elles commandent du poulet. En attendant, elles s'offrent un verre de vin blanc.

—Juste un verre, c'est mercredi, affirme Marie-Fleur.

Elle n'a pas l'habitude de boire de l'alcool la semaine.

—Je déteste le mercredi, dit Léa. Ça devrait pas exister, le mercredi. Je suis comme tannée des hommes qui fréquentent mon salon de coiffure. Ils se prennent pour les rois de l'univers.

Marie-Fleur ne l'écoute pas, elle revit sa journée de travailleuse sociale : de la violence, de la violence partout. Des hommes qui battent leur femme, et on appelle ça de la violence conjugale ! Mais la cerise sur le gâteau est la mésaventure qu'elle a vécue sur le chemin du retour.

— Écoute ça, Léa. Je prends le métro, il est bondé. Pas de place pour moi et mon sac de dossiers, mon sac à main, mon sac à dos. Un garçon se lève, m'offre sa place. Je lui fais un grand sourire. Il a dû deviner que j'avais mon voyage. Il y a quand même des gars qui ont de l'allure. Je continue à lui sourire de reconnaissance. Il me change des hommes machos. Il est debout devant moi. Le métro repart. Et je me retrouve devant le gars qui se flatte l'érection. Ça m'arrive souvent, ça ou me faire prendre une fesse quand je suis debout dans le bus. Quand est-ce que ça va arrêter ? Quand est-ce que les gars vont nous traiter comme leurs égales ? Pas comme des objets à faire bander. Ils ne sont pas tous pareils. Une chance !

Elle s'arrête pour prendre une gorgée de vin, puis continue :

— Le pire, c'est qu'il y avait un monsieur à l'air respectable à côté qui a tout vu et a laissé faire, même qu'il a souri à mon agresseur, de connivence, je te dirais.

— La solidarité entre hommes.

— On arrivera pas à les changer s'ils veulent pas changer.

La sonnette de la porte d'entrée résonne.

— Déjà le poulet!

Marie-Fleur se lève et va ouvrir.

— C'est pas le poulet, c'est Laurent! Il a pas le droit de venir chez toi. T'as pas le droit.

Léa est changée en statue de sel.

— Je vais rester dehors, je rentrerai pas. C'est important.

Marie-Fleur regarde Léa, puis reporte son attention sur Laurent:

— Qu'est-ce que tu viens faire ici?

— Je viens lui demander pardon.

Léa prend sur elle, et d'une voix qu'elle veut ferme, mais qui tremble, elle arrive à dire:

— C'est fini entre nous, je veux plus rien savoir de toi. Va-t'en.

Marie-Fleur s'interpose:

— T'es mieux de t'en aller.

— Je veux juste m'excuser en personne, c'est tout. Je te demande pardon si je t'ai fait de la peine, Léa. J'ai pas voulu mal faire.

Elle le regarde, furieuse.

— Tu comprends rien de rien! C'est pas des excuses, que je veux, c'est que tu réalises ce que tu m'as fait. Imagine-toi, une minute, avec une fille qui te rentre un *dildo* dans le derrière sans t'avertir, sans te demander la permission.

Comment tu te sentirais? Tu serais pas trauma-
tisé, tu penses? T'aurais pas peur de toutes les
filles? Tu serais pas démoli? Moi, Laurent, ça fait
un an que je suis en thérapie, que je me recons-
truis petit à petit. Puis je suis pas guérie. J'aurai
des séquelles toute ma vie.

— Je t'ai pas demandé la permission parce que
je savais que t'aurais dit non.

Léa se jette sur lui et le frappe de ses mains
ouvertes. Marie-Fleur lui prend les poignets, la
ramène dans l'appart. Quand elle revient à la
porte, Laurent demande candidement :

— Qu'est-ce que j'ai fait, encore?

Marie-Fleur, qui en a vu des pires, se dit qu'il
n'est pas con, il a plein de qualités, mais il ne
comprend rien aux femmes. C'est le gars qui peut
t'expliquer les bases de la finance mondiale, mais
il est incapable de relations égalitaires avec une
femme.

Il plaide :

— Moi, je pensais que c'était un beau geste
de venir m'excuser en personne. Je suis même
allé plus loin, je lui ai demandé pardon. Pas un
de mes chums de gars demande pardon à une
femme. Je voulais qu'elle voie que j'avais changé.

— Tous les gars violents que je rencontre dans
mon travail disent la même chose que toi. «Je

m'excuse, je te demande pardon », puis ils recommencent à battre leur femme de plus belle. Si elle leur a pardonné une fois, elle acceptera de pardonner encore.

— J'ai jamais levé la main sur une femme. Puis… je veux changer.

— Si tu veux changer, tu pourrais fréquenter des hommes qui ont entrepris une démarche pour être nos égaux plutôt que nos supérieurs. Une chance, il y en a.

— On est égaux. Il y a des femmes au pouvoir partout.

— Ah oui ? Je fais une recherche en ce moment. Sur les vingt personnes les plus riches au monde, dix-sept sont des hommes. Finalement, 88 % des milliardaires sont des hommes. Et l'argent, c'est le pouvoir !

Laurent ne veut pas d'un autre sermon.

— Ouais. Ben, dis à Léa que… dis-y rien.

Il tourne les talons pour partir, mais se ravise :

— Je vais changer.

— Tiens, lis ça. C'est un bon commencement.

Marie-Fleur lui tend des livres sur le viol et sur l'égalité hommes-femmes.

Il hésite. Les prend.

— Ma mère m'en a passé plusieurs aussi. Je vais les regarder.

Papa,

Sais-tu que tu as été un père absent? Pas comme si tu étais mort, évidemment, mais pire parce que je savais que tu étais là et que tu avais choisi une job qui te tenait loin de moi, ton petit gars. Je me rends compte aujourd'hui que j'ai eu comme modèle un père à temps partiel. Tu m'as manqué, papa. Tu me manques.

Tous les petits gars du monde ont besoin de modèles. Quel modèle j'ai eu? Un pourvoyeur qui vient voir sa famille de temps en temps. J'ai appris de toi que l'amour s'achète. Tu arrivais les bras chargés de cadeaux. Tu m'as gâté, mais moi, ce que j'aurais préféré, c'est un père qui me fasse répéter mes leçons, qui joue au baseball avec moi et qui me parle. J'aurais tant voulu un père qui me chicane, qui m'éduque, qui me félicite, me console aussi. Je sais que tu m'as aimé, que tu t'ennuyais de moi, mais de mon côté, j'avais besoin de toi. J'ai encore besoin de toi.

Je ne t'aurais pas dit ça à seize ans, ni même à trente, mais j'aurai bientôt quarante ans, et je vois un peu plus clair. Je ne t'en veux pas d'avoir choisi ce travail que tu aimes tant, de toute façon le mal est fait, mais maintenant que je commence à devenir un être humain potable, je reconnais qu'aucune somme d'argent ne peut remplacer la présence. J'ai toujours envié mes copains qui avaient leur père, pas parfait, mais disponible. Oh, bien sûr, j'étais l'enfant qui avait le plus beau vélo, la plus belle veste de cuir, mais je ne t'avais pas pour me parler. Je sais que tu vas essayer de te justifier, ça aussi, je l'ai appris de toi. Je n'ai pas les outils pour réparer notre relation. Je vais me les procurer, mais une relation, ça se fait à deux.

Je ne t'en veux pas. Dans ton temps, comme tu dis, les meilleurs prétendants, c'étaient des hommes travaillants, de bons pourvoyeurs. Je t'aime pareil, mais j'avais besoin de te dire ce que je ressens, même si j'ai peur de ta réaction, car pour toi, un homme qui montre ses émotions, c'est un téteux.

Ton fils,

Laurent

Mon fils,

Es-tu tombé sur la tête ? C'est-tu ta mère qui te met ces idées de fou dans la tête ? Moi, un père absent ? J'ai failli cliquer sur corbeille, puis j'ai lu et relu ton courriel. Ben oui, j'ai été un père qui gagne la vie de sa famille à l'extérieur, puis ? On m'a enseigné dans ma jeunesse que le principal devoir d'un homme marié, c'est de faire vivre sa famille, et mieux tu la faisais vivre, plus tu étais un vrai homme. La principale qualité d'un père, c'était pas d'être présent, mais d'être travaillant afin de pourvoir à ses besoins et à ceux de sa famille. C'est pour ça que j'ai fait mon devoir. En plus, pour être franc, si j'avais vécu vingt-quatre heures sur vingt-quatre avec ta mère, je sais pas si on serait encore ensemble. Ta mère était… indépendante, disons. Elle voulait une carrière, et qui dit carrière dit argent. Comprends-tu la situation ? En se voyant pas souvent, on a mis notre couple à l'abri d'une séparation. T'as pas eu un père présent comme toi tu le voulais, ça saute aux yeux, mais oublie pas que t'as connu le meilleur de moi, rien que le bon. C'était pas le temps de te chicaner, je te voyais si peu. De toute manière, on sait que les garçons préfèrent leur mère.

Mais dans le fond, je vais te dire une affaire : si un jour tu vis avec une femme, vis à plein temps avec elle, et si jamais t'as un enfant, eh bien, reste avec lui, collé. Fais pas comme ton père. Les pères absents sont les perdants.

Je t'aime de loin, mais je t'en aime pas moins, O.K.?

Ton père

Laurent vient de terminer le dernier des livres que lui a prêtés sa mère. Il attaque ceux de Marie-Fleur. Il est secoué, ses principes sont ébranlés. Au cours de sa lecture, il a appris ce qu'est le sexisme. Il admet être sexiste. Lui qui se vantait d'aimer les femmes, il vient de comprendre que le sexisme, c'est comme le racisme, c'est croire qu'une race est supérieure à l'autre, que l'homme est supérieur à la femme.

Il a compris aussi que, si les femmes se donnent le droit de dire non, elles peuvent aussi dire oui. Il s'agit juste de respecter leurs limites. Il admet que la relation sexuelle elle-même est perçue par certains hommes comme un acte de pouvoir, de contrôle, et le pénis, comme une arme. Il est un peu mêlé parce qu'on lui a toujours fait savoir par le truchement des films que c'est à l'homme de prendre l'initiative, de faire les premiers pas, et cette conquête ne peut pas toujours se faire en douceur. Il se remémore les films de James Bond qu'il a tant regardés. Il se souvient que, souvent, le héros aperçoit une belle fille, et sans lui demander son avis, il la colle le long d'un mur et la possède, qu'elle le veuille ou non. Il repart comme si de rien n'était. Gros plan sur la fille épanouie.

Il savait que la jouissance masculine réside d'abord dans la capacité de faire atteindre l'orgasme à la femme qu'il désire, et il s'en vantait auprès des filles. Ce qu'il ignorait, c'est que, si autant de femmes font semblant de jouir, c'est qu'elles connaissent l'importance que les hommes donnent à ce pouvoir qu'ils croient avoir en exclusivité, alors elles jouent la comédie pour ne pas blesser l'orgueil de leur amoureux. Il pense à sa première blonde, à leur rupture après un an.

— Tu ne m'as jamais fait jouir, lui avait-elle dit.

C'est la pire insulte qu'un homme puisse recevoir.

Il a compris de plus qu'il appartient à une caste, pour ne pas dire une noblesse, qui pendant des générations ont épargné aux hommes certaines tâches, jugées inférieures, comme le ménage, la cuisine, changer les couches, prendre soin de vieux parents, tâches depuis toujours accomplies par les femmes. Le pire, c'est que ces tâches humbles devenaient nobles quand les hommes décidaient de se les attribuer. Longtemps, les sages-femmes ont fait des accouchements, puis les docteurs se sont approprié cet acte naturel et en ont fait un acte médical. Ainsi, la cuisine des mères est devenue la cuisine de chefs hommes. La coiffure, la couture, réservées aux femmes, sont devenus des arts quand les hommes s'en sont adonnés.

Ces lectures l'ont parfois ennuyé, parfois choqué. Souvent, il a fermé le livre et l'a repoussé loin de lui. Mais chaque fois, il a repris sa lecture avec application. Ses recherches sur Internet ont servi à confirmer ce que les livres lui ont appris.

« Mais baptême, faut que ça change ! Ç'a pas de maudite allure ! On est deux sexes sur la terre. Que les hommes dominent les femmes, c'est complètement cave ! »

Laurent, en bon publicitaire, songe à une façon de communiquer ses récentes découvertes au plus grand nombre de personnes possible. Il pense évidemment aux nouvelles technologies, aux réseaux sociaux, à un site web qui attirerait les nombreux curieux !

Il regarde son cellulaire, sa tablette, son ordinateur, son téléviseur intelligent. Il les implore, faute de saints à prier :

— Trouvez quelque chose ! Aidez-moi à changer les hommes !

Il prend la décision de communiquer son projet à sa mère. « Elle m'aime, elle. »

Mon cher fils,

J'ai bien reçu ton courriel enflammé, mais pour discuter de ton projet, je préférerais que tu viennes à la maison, que je voie dans tes yeux si tu es convaincu ou non. Je sais, c'est bien commode, la technologie, mais rien ne vaut pour une mère de regarder son garçon en face afin de prendre la température de sa sincérité. Ne viens pas pour manger, viens comme ça, en passant. Dimanche, 2 heures.

Maman

***

Dimanche, 14 heures pile. Laurent sonne à la porte de Julie. Elle ouvre. Il prend sa mère dans ses bras, la soulève, lui fait faire un demi-tour dans les airs, la repose à terre. Elle rit. Lui aussi.

— T'as commencé ça après ton adolescence. T'avais quoi, vingt ans? Assieds-toi, j'ai fait du thé.

Il s'assoit come un petit garçon pris en défaut.

— J'ai pas de Whippet, juste des biscuits secs.

— Maman, c'est pas grave, les Whippet, j'aime même pas ça. Mom, la viande hachée, les Whippet, c'était pas par goût que je te demandais ça, mais pour te faire suer.

Julie est sceptique. Elle décide d'aborder le nouveau projet de son fils :

— Où c'est que t'as pris ça, ces idées-là?

— Dans des livres de filles que tous les gars devraient lire. Dans tes livres, mom. Marie-Fleur m'en a prêté aussi.

— T'as lu ça?

— J'ai lu ça.

— Puis?

— Je suis pas en train de changer mon «capot de bord», dirait mon père. Il y a juste que... il y a des affaires auxquelles un gars pense pas souvent : les problèmes de violence faite aux femmes, par exemple, l'équité salariale, l'égalité entre les sexes. Les gars trouvent ça ben correct comme c'est arrangé maintenant. Faut rien changer, O.K. ! Mais moi, les femmes m'intéressent, je veux dire, en dehors du lit. Fais pas cet air-là, maman, c'est vrai. Mais je suis un homme et je veux surtout pas être une femme. Eille, je voudrais pas avoir peur chaque fois que je me retrouve seul à la noirceur. Je voudrais pas avoir à surveiller mon verre dans un bar au cas où quelqu'un jetterait la drogue du viol dedans. C'est pas une vie, avoir peur.

— Pourtant, avoir peur, c'est la vie de la plupart des femmes, encore de nos jours. Même moi, ta mère, je ne sors jamais tard, je barre mes portes. J'ai fait poser une serrure de sécurité sur la porte de la cour. Toutes les femmes, à différents degrés, ont peur des agressions des hommes. J'ai même pris des cours d'autodéfense. As-tu jamais pris ça, toi, des cours pour te préparer à réagir à des femmes qui t'attaquent et t'agressent?

— C'est pas mieux d'être gars. Il y a un gros malaise depuis #McToo. J'ai réfléchi depuis quelques temps, puis sais-tu quoi, mom? Ma virilité, je commence à être mal dedans.

— C'est tellement nouveau, tout ce que tu me dis, que la tête me tourne.

— Les hommes, on a le record de mortalité sur deux roues, motos et bicyclettes. On se suicide plus que les femmes. On reçoit des peines de prison pour violences conjugales et pour féminicides. Et puis, le pire, on meurt plus jeunes que les femmes. Non, ça va pas bien pantoute.

Il soupire.

— Si on était si bien dans notre virilité, on aurait pas besoin d'en faire la preuve tout le temps, me semble.

Ils sirotent leur thé en silence, puis Julie va embrasser son fils sur une joue.

— Je suis contente. C'est pas souvent que je te vois si… humain, tellement humain. C'est mon gars qui me parle, c'est un être humain.

— C'est comme si je me débarrassais d'une chape de plomb, mom.

Elle l'embrasse sur l'autre joue. Il lui tapote la main.

On sent qu'ils sont devenus plus que mère et fils.

***

Ma chère femme,

J'ai demandé à mon boss un congé de deux semaines. Je file pas. Trop d'affaires dans la tête. J'arrive demain.

Ton mari

C'est un homme vieilli, effondré, amaigri que Julie écoute après un souper léger.

— Je veux te parler.

— Tu vas d'abord passer une bonne nuit, on parlera demain. O.K., chéri ?

— Tout le long de la route de retour, j'ai répété ce que j'allais te dire. Je l'ai dans le gosier, faut que ça sorte.

— Tu me trompes.

— Non, je te trompe pas ! Je te trompe pas, je t'ai jamais trompée.

— O.K., d'abord.

— Je t'ai jamais trompée, pas dans le sens de coucher avec une autre…

— Dans quel sens alors ?

Julie n'est pas certaine de vouloir connaître le genre de tromperie auquel il fait allusion.

— Je t'ai trompée, c'est-à-dire que je t'ai menti… au début de notre mariage.

— Écoute, ça fait si longtemps. Quoi, quarante et un ans?

— Toi, ça te tente peut-être pas de savoir la vérité, mais moi, depuis l'affaire de Laurent, j'étouffe. Le secret... m'étouffe.

Julie a soudain peur du secret de son mari. Elle va à l'évier, se verse un grand verre d'eau, le boit lentement.

— J'ai toujours eu peur que tu me sois infidèle. On dit tant de choses des *truckers*.

— Je t'ai pas été infidèle, 'stie! Puis ç'a pas été difficile, je t'aime.

Elle boit le contenu de son verre, apaisée.

— On regarde-tu une série sur Tou.tv?

— Assieds-toi, Julie, bonyeu, t'es comme une queue de veau.

Elle se tire une chaise. Il est sérieux, ça lui fait peur. Peur d'avoir mal. Peur d'avoir une raison de ne plus l'aimer. Peur pour sa vie de femme mariée, pour sa vie de mère. Il lui prend la main.

— Dis-toi que j'ai fait ça pour bien faire. Il y avait pas de malice, je t'aimais.

— Mais torpinouche, que c'est que t'as fait?

— Laurent...

— Il est pas facile à dire, ce mensonge-là? Tu m'as menti, bon, tu veux quoi? Que je te pardonne, puis que je te dise que t'es le meilleur mari au monde ? Tu l'es.

— Je veux que tu comprennes… puis… que tu me pardonnes, que j'arrête de me sentir coupable.

— De quoi ? Coupable de quoi ?

Elle est plus exaspérée qu'apeurée maintenant.

— J'ai commis… un genre de viol.

Il s'empresse d'ajouter :

— Pas avec une autre femme, avec toi.

— C'est pas possible, je le saurais. Je suis pas folle, un viol, faut forcer quelqu'un, puis tu m'as jamais forcée.

— Veux-tu m'écouter, Julie ?

— Oui, je m'excuse.

— Tu voulais pas d'enfants au début de notre mariage.

— Oui, mais…

Cette fois, il prend ses deux mains dans les siennes, la force à le regarder dans les yeux.

— J'étais pressé, moi, d'en avoir. Puis un soir qu'on était tous les deux *hot,* très *hot,* on s'aimait fort, on se le prouvait aussi fort, tu m'avais mis ma capote comme tu l'exigeais, puis dans le feu de l'action je l'ai enlevée. Pas par négligence, j'ai fait exprès pour avoir un bébé. Tu t'es aperçue de rien. Puis t'as été enceinte. Puis on a eu Laurent. Laurent est l'enfant d'un viol, genre.

Julie retire ses mains, baisse les yeux. Il lui dit d'une petite voix d'enfant :

— C'est pas pire que la femme qui perce le condom de son mari, hein ?

Julie se lève comme un robot, va vers la chambre et ferme la porte. Et c'est derrière la porte fermée qu'il tente de se justifier :

— Je savais pas dans le temps que c'était pas correct. Je voulais plusieurs enfants, je m'étais marié pour avoir une famille, puis tu voulais pas. J'ai pris les moyens. Je l'ai regretté après, pas Laurent, mais la méthode que tu m'avais forcé à prendre, mais Laurent était né, puis t'étais contente. Avoue que t'étais contente de l'avoir.

Elle ouvre la porte, l'affronte :

— Tu m'as violée, en effet. Je t'avais dit en commençant à sortir avec toi que je voulais pas d'enfants, je t'avais dit que je voulais pas certaines fantaisies sexuelles. Tu m'as pas écoutée. On écoute pas les femmes. Ça compte pas, ce qu'elles disent. T'as fait à ta tête. Un vrai gars !

— Oui, peut-être. Je vais t'expliquer, tu vas comprendre, t'es bonne là-dedans. C'est en lisant un article dans un journal en Californie que j'ai vu que c'était une pratique sexuelle courante, moins pour avoir un enfant que pour avoir du plaisir sans condom, et que le, le...

— Le *stealthing*, c'est comme ça que s'appelle en anglais, et c'est considéré par la loi comme un viol et puni comme tel au Wisconsin, en Suisse, en Californie... Dans mes livres sur le viol, ils en parlent. J'étais loin de penser que toi, mon mari... toi que j'aimais...

— Ce qui compte, mon amour, c'est moi puis toi... puis Laurent. Hein?

Elle voit bien qu'il saute sur l'amour qu'elle lui porte pour se disculper. Elle sort de la chambre, froide comme un glaçon. Il a recours à un dernier argument:

— On a Laurent, c'est pas rien. T'as Laurent. Je t'ai donné Laurent.

— Un violeur. Comme son père!

Julie va chercher dans leur chambre une couverture, un oreiller.

— Je te laisse le lit.

Paul ne peut que répéter:

— Je te demande pardon.

Paul, mon mari,

Quelle semaine affreuse on vient de traverser, tous les deux. Je ne veux plus qu'on revive ça, jamais. On est passés par la colère, la déception, le mépris, la haine même, pour finalement arriver à une certaine compréhension. Comprendre n'est pas accepter, Paul. Je n'accepte pas le viol, même s'il est fait dans le but d'avoir un enfant. Je comprends avec le recul ton acharnement, ton puissant désir de fonder une famille, mais tu ne m'en as pas parlé sérieusement. Ton éducation de vrai gars t'empêchait de t'expliquer, de montrer tes émotions, de me communiquer ton besoin viscéral d'enfant. J'avais été claire sur ce que je voulais de notre union. Et pourquoi tenais-tu tant à me marier, connaissant mes conditions ? Tu étais sûr de me faire changer d'idée ou tu étais sûr de me violer ?

J'ai fait un bilan de notre vie commune depuis quarante ans. Mon choix est fait. Je vais finir mes jours avec toi si tu changes, si tu deviens plus juste.

Es-tu prêt à changer ? Penses-y.

Julie

Ma femme chérie,

Je viens d'envoyer ma démission à la compagnie. Je prends ma retraite. Je ne veux plus être un père manquant et un mari absent.

Ton amoureux

Paul, mon mari,

Je t'ai posé une question à laquelle tu n'as pas répondu. Moi, j'ai changé depuis quarante et un an de vie commune, j'ai évolué. Toi, tu es resté le même. Et ce n'est pas un compliment. Moi, je ne peux pas te changer, mais toi, veux-tu changer et me rejoindre, qu'on soit à égalité ? Deux êtres humains égaux qui s'aiment, c'est pas tentant, excitant ?

Julie

Ma Julie

Rien, ni privilèges ni avantages, ne peut me séparer de toi. Je vais changer.

Ton Paul

Un mois plus tard

Laurent se retrouve avec ses amis à leur brasserie habituelle, mais cette fois sur la terrasse. On est à la fin de l'été. Laurent boit son verre de vin blanc en silence. Il a éloigné sa chaise de la table encombrée, il observe plus qu'il ne participe. Après avoir pris des nouvelles de chacun, critiqué le gouvernement, s'être vantés de leurs réussites en affaires, les hommes arrivent au moment où ils peuvent parler de leurs conquêtes féminines. Michel prend la parole :

— J'ai rencontré plein de filles au centre d'entraînement. Quand j'en *spotte* une qui me trouve de son goût, il me la faut dans mon lit le soir même ! Vous me connaissez, les gars. Tous les moyens sont bons pour *scorer*. Je suis persévérant, l'entraînement, je connais, mais quand j'ai atteint le but, je laisse tomber, je cherche un autre défi. C'est bête, mais je suis fait de même. Je suis un conquérant, qu'importe la conquête.

Nick, marié et père de famille, ne manque pas une occasion de montrer qu'il fait de l'argent plus que les autres, c'est sa supériorité à lui :

— J'ai eu une offre d'achat pour mon bungalow sur le lac des Deux Montagnes, quasiment un million. Moi, mon défi, mon but, c'est la famille, ma femme, mes trois filles. C'est vieux jeu, je sais… mais mes parents viennent d'un pays où la famille est…

Simon se doit d'entrer dans la compétition, alors il coupe Nick :

— Moi, des maisons, j'en ai trois. Un notaire, ç'a des occasions d'affaires. Trois maisons que mon ex aura pas. La loi, je la connais. Les maudites femmes ! Si j'avais écouté son avocate, une femme, on sait ben, elle m'aurait lavé. Les hommes, on est les victimes, dans le divorce. Elle m'aurait enlevé la garde de mes enfants. Une chance, j'en ai pas, mais n'empêche…

Michel, qui n'en peut plus d'entendre pour la centième fois les lamentations de Simon sur son divorce, s'adresse à Laurent :

— Laurent, qu'est-ce qui se passe ? Tu parles pas.

Les trois copains se tournent vers lui. Ils sont inquiets. Laurent se redresse à peine sur sa chaise de plastique blanc.

— Je suis tanné. Tanné de moi. Tanné de vous autres, tanné des hommes en général. Tanné!

Ils s'étonnent, chacun à sa manière.

— Ben oui, je suis tanné de nous autres! Je nous écoute, j'ai honte de nos petites lâchetés, de nos vantardises, de nos *ego* démesurés, de la compétition entre nous. Vous vous entendez pas parler de vos succès, de votre réussite, de votre argent? Vous vous entendez pas parler des femmes comme si c'étaient des animaux de compagnie? Je peux le dire, je suis pareil. Les hommes, parce qu'on est nés avec un pénis, on pense qu'on a tous les droits sur les femmes. Elles sont nos égales, calvaire!

Nick se risque:

— Pas tous les hommes...

— Ben non, nono, pas tous les hommes, mais il y en a trop encore qui se pensent au-dessus des femmes, comme leurs propriétaires. «Je suis pas raciste, mais je veux pas que mon fils marie une Noire. Je suis pas sexiste, mais je vote pas si c'est une femme qui se présente.»

— Ouais, un gars qui a violé une fille nous fait la morale!

C'est Michel qui lui sert cette vérité.

— Parce que j'ai fait une écœuranterie, faudrait que je reste écœurant pour la vie ? Pourquoi j'ai fait ça ? Juste pour avoir du fun en baisant, mon fun à moi. Parce que je voulais montrer à ma blonde que c'était moi qui décidais de notre sexualité, pas elle. Le viol, les gars, c'est pas un acte sexuel, c'est un acte de domination.

— Ah non ! Dis-moi pas que t'es rendu féministe ?

— Si féministe veut dire que je suis pour l'égalité entre les hommes et les femmes, je le suis. Je l'étais pas, mais je suis en train de le devenir, puis les gars, vous devriez…

Les amis de Laurent rouspètent :

— Bon, un nouveau trip. Ça paye-tu ?

— C'est une *joke*. Elle est bonne !

— T'as failli nous avoir.

Laurent reste calme.

— C'est sérieux. Je suis vraiment tanné de voir dans le journal que, chaque mois de l'année, un homme tue une femme, et ça depuis vingt ans. Je suis tanné de notre violence envers les femmes. Je suis tanné qu'on se serve des femmes comme des objets. Puis dites-moi pas : « Pas nous autres. » On fait pire, on laisse faire les violents, les violeurs, sans dire un mot, on laisse faire comme si ça nous regardait pas, nous intéressait pas. Martin Luther King a dit, en parlant de la situation des Noirs qui s'améliorait pas aux États-Unis : « Pour que le mal triomphe, il suffit que les gens qui sont bons ne fassent rien. »

Nick met la main sur le bras de Laurent et lui murmure :

— Moi aussi, je suis tanné. J'ai trois filles…

Laurent reprend la parole. Il est encouragé par la réponse favorable de Nick. Un sur trois. Tout n'est pas perdu.

— J'ai un projet, les gars, un projet d'hommes, avec des hommes, juste des hommes : fonder un club de recherche sur nous-mêmes, sur notre virilité.

— Le club de lavettes !

— Je m'attends pas, Michel, à ce que tu deviennes intelligent du jour au lendemain, mais si on se rencontrait nous quatre dans le but de changer la société dans laquelle on est, je pense qu'on réussirait à se mettre un peu de plomb dans la tête. Moi, j'en ai assez du patriarcat, je veux autre chose. Les femmes veulent l'égalité, on pourrait au moins y réfléchir ensemble. Je vous laisse du temps pour y penser. Salut !

Il se lève, dépose sa part de l'addition sur la table. Nick le suit. Michel et Simon haussent les épaules et commandent un autre verre de vin. Puis la conversation sur les failles du gouvernement recommence. Ils savent, eux, comment diriger un pays !

Nick et Laurent marchent sur le trottoir sans dire un mot. Ils se dirigent vers un gentil petit parc comme il y en a tant à Montréal. Ils s'assoient sur un banc sous un arbre.

Nick s'ouvre le cœur :

— Laurent, si toi tu n'en peux plus des hommes soi-disant virils, moi, je suis encore plus à bout que toi. Mes filles sont adolescentes, les trois. Je connais les hommes, j'en suis un, et j'ai peur pour elles. Je suis divisé. D'un côté, je veux les avertir des dangers qui les attendent en fréquentant nos pareils, et d'un autre côté je veux pas qu'elles aient peur des hommes. Dans le fond, je voudrais que mes trois filles tombent sur des gars meilleurs que moi. Je veux pas qu'elles consomment de la porno. Je veux pas qu'elles soient des objets sexuels pour les hommes. J'ai peur pour mes filles, Laurent, qu'elles aiment un gars qui ne les respecte pas, comme si c'était normal que les gars agressent et que les filles soient des victimes. Je pense à leur faire prendre des cours de boxe ou de karaté. Ma femme est pas d'accord, elle dit que c'est pas juste aux filles à apprendre à se défendre, mais aux mères puis aux pères à apprendre à leurs fils le respect dû aux filles.

— Ta femme a raison. C'est pas parce que nos parents se sont trompés dans notre éducation qu'il faut continuer dans le même sens.

— Faut que ça change, pour mes filles qui grandissent.

— Il faut qu'on change, nous autres.

— Oui, il faut qu'on change.

Ils se lèvent comme s'ils avaient enfin la solution, Nick l'arrête.

— Oui, mais comment on fait pour changer?

— Je pense que le premier pas, c'est de reconnaître qu'on va mal, nous, les hommes, depuis #MeToo. En fait, on va mal depuis bien avant #MeToo, mais on en parlait pas. C'était tabou, ces sujets-là.

— Puis là, Laurent, là? Qu'est-ce qu'on fait? Le club, comment on commence ça? Puis une fois le club créé, comment on change? Je veux changer les gars vite avant que mes filles en tuent quelques-uns!

Nick est affolé, ça se sent. Laurent l'apaise:

— On va trouver, mais en attendant, voilà ce qu'on peut faire. Quand on a honte des farces sexistes de nos amis, faut avoir le courage de pas rire, puis quand on voit une belle fille se faire agresser verbalement, faut prendre sa défense à elle. Faut changer notre regard sur les femmes. Les traiter en êtres humains, pas en objets de désir.

— Oui, mais prendre la défense des femmes, ça fait pas homosexuel ? S'il y a une chose que je veux pas, c'est passer pour homo.

— Puis ? Ça aussi, c'est macho, de lever le nez sur les gais. Veux-tu bien me dire pourquoi passer pour gai est l'insulte suprême pour un homme hétérosexuel ? Parce qu'on les associe dans notre petite tête aux femmes, donc à des secondes classes ? Dis pas non !

— T'as vu le vieux monsieur avec son chien ? Il pense que deux gars qui parlent intimement comme on le fait, ce sont deux homosexuels. Je l'ai vu dans son regard sur nous. J'aime pas ça.

— C'est dire le chemin qu'on a à faire !

Laurent sent son cellulaire vibrer dans sa poche de veston. Il s'excuse auprès de son ami en vérifiant son portable. C'est un courriel de Léa.

— Nick, je t'appelle. On réfléchit chacun de notre bord, lance-t-il à son ami qui se lève pour rentrer chez lui.

Il se rassoit. Il ouvre le message.

Laurent,

Je t'envoie ce courriel parce que ma psy me l'a recommandé comme démarche dans ma thérapie. C'est difficile pour moi parce que, depuis notre rencontre, je me sens inférieure. Devant toi, si imposant, si mâle, je deviens toute petite et j'ai peur de toi, de ton jugement, de tes mots, dont tu te sers si bien pour me rabaisser, me faire sentir comme une nullité. Parce que, Laurent, en plus de me violer, tu ne m'as pas prise au sérieux. Tu disais m'aimer alors que tu ne faisais que te masturber dans moi. Moi, j'ai confondu amour et désir. J'ai cru que tu étais comme moi, sentimental, épris de ma personne et non juste du cul de ma personne. Je ne comptais pas pour toi au-delà du cul.

Puisque je disais non à une certaine pratique sexuelle, il a fallu que tu t'exécutes pour me prouver que tu n'acceptais pas d'ordre d'une femme. Tu as passé outre à ma demande. Tu t'es foutu de moi, je ne comptais plus. Le maître prenait son plaisir. T'es-tu soucié de mes cris de douleur quand tu m'as pénétrée ? Tu ne t'es même pas excusé après. Tu avais hâte que je parte pour te coucher. Le repos du guerrier. Tu avais gagné, tu avais eu ce que tu voulais, tu méritais ton repos. Moi, j'étais dévastée, anéantie, je me haïssais. La folle qui avait fait confiance à son amoureux.

Marie-Fleur m'a convaincue, malgré mes réticences au début, de porter plainte à la police. J'ai eu la chance de tomber sur une policière. Même si tous les policiers sont habilités à recevoir les plaintes des victimes de viol, je ne me voyais pas décrire à un homme ce qui s'était passé avec toi. J'avais honte, je n'avais pas besoin d'en rajouter. C'était moi, la victime, et c'est moi qui avais honte! Après le traumatisme du viol a suivi celui des interrogations et des papiers à signer, et celui de la preuve, qu'il a fallu aller chercher jusque dans mon rectum. J'étais détruite. Tu m'as détruite! Je t'entends penser: «Ça prend bien une femme pour faire un drame avec rien!»

Le viol, ce n'est pas rien, Laurent. Ma vie a changé. Je me réveille la nuit en sursaut, je revis la pénétration. Je vais vendre mon commerce. Je ne peux plus endurer les commentaires sexistes de mes clients. Le plus grave: je ne crois plus à l'amour. Je voulais me marier, avoir des enfants, des petits-enfants. Je n'aurai rien de ça, j'aurais trop peur de me tromper encore. Tu as brisé ma vie. Je tenais à ce que tu le saches.

Léa

Ce courriel bouleverse Laurent. Il reste quelques instants immobile, ébranlé. Puis il se lève, encore plus décidé à poursuivre son cheminement. Rendu chez lui, il fait une recherche sur Internet en utilisant les mots-clés « groupe d'hommes ». Il est étonné de voir le nombre de liens. Mais lequel lui conviendrait? Il pense à consulter Marie-Fleur. Léa n'a pas à être informée de sa démarche. De nouveau, un souvenir de voyage de pêche lui revient. Qui, déjà, lui a parlé d'un groupe d'hommes efficace? Puis il se rappelle soudain le nom de famille de Sébastien : Sébastien Tremblay!

Sa première tentative ayant été vaine, il retourne sur le Web et tape son nom. Il le trouve enfin. Sébastien est un homme solide, qui inspire les confidences. Il lui téléphone. Ils prennent rendez-vous.

Dans un café du centre-ville, les deux hommes sont assis, l'un en face de l'autre. Ils ont parlé de leur travail respectif. Puis Laurent s'est jeté à l'eau, persuadé que Sébastien lui tendra la main pour le sauver. Il a confiance en cet homme, même s'il le connaît peu. Avec lui, pas de compétition, pas de vantardise, pas de mensonges.

— J'ai violé ma blonde.

Il déballe son histoire. Il parle de sa vie avec sa mère surprotectrice, de son père toujours parti qui rachetait son absence par des cadeaux trop extravagants, de ses amours qui ne fonctionnent jamais vraiment, des nouvelles exigences des femmes qu'il n'arrive pas à admettre, à comprendre, de ses amis superficiels, incapables d'avoir une vraie conversation et de montrer leurs émotions. Des amitiés qui fonctionnent à coups de comparaisons de salaires, de prouesses sexuelles… En une heure, Sébastien a une bonne idée de l'homme qui se confie à lui.

— Et qu'est-ce que tu penses faire pour que les hommes changent?

— Je le sais pas. J'ai pensé faire un blogue pour raconter mon histoire, mais que faire pour que les hommes changent? Puis toi, tu m'as dit que tu faisais partie d'un groupe d'hommes depuis quinze ans…

— Qu'est-ce que tu penses trouver dans un groupe d'hommes?

— Des gars comme toi, qui réfléchissent à leur condition masculine. Je veux changer les hommes.

— Faut que toi tu changes avant de changer les autres.

— Je veux changer. Je m'aime pas en violeur. C'est pas moi, ça. Puis je vois bien que les femmes ont évolué. Nous autres, on change pas, on est bien dans la marde, ç'a l'air.

— En faisant partie d'un groupe d'hommes, tu vas te faire d'autres amis qui souffrent aussi dans leur masculinité. Tu vas connaître un autre modèle d'hommes. C'est peut-être ce qui manque aux agresseurs, des modèles différents d'hommes, des hommes authentiques, qui n'ont pas peur de leurs émotions, qui se confient naturellement, qui ont acquis une maturité émotionnelle.

— C'est quand ? C'est où ?

Sébastien sourit devant l'enthousiasme de Laurent.

— Je peux t'emmener dans le mien, mais il y en a d'autres.

— Le tien.

— Il faut que t'enlèves plusieurs couches de préjugés avant de commencer à devenir un homme juste. Ça peut être long.

Laurent regarde l'heure à sa montre. Il a parlé pendant plus de deux heures de ce qu'il ressent. Il n'en revient pas. Sébastien l'a écouté pendant tout ce temps, sans parler de lui, sans aucune comparaison, sans l'interrompre pour se vanter. Pour la première fois depuis longtemps, Laurent est heureux. Il se sent allégé d'avoir pu déposer son fardeau sans se faire juger. Ils se donnent rendez-vous au local où se réunit le groupe. Laurent lui fait spontanément une accolade, lui qui n'en a jamais fait avant... trop moumoune.

Au retour, il s'arrête chez sa mère. Elle est surprise de cette visite impromptue.

— J'étais assoupie devant la télévision. T'as eu des nouvelles ?

— Ah, le procès ? Il y en aura pas, je vais dire la vérité. Mon avocat va m'en vouloir, mais je peux plus vivre dans le mensonge. Je suis coupable.

Point. Je change. Je vais changer! Tu vas avoir un nouveau fils dans ta vie. Un fils digne de confiance, conscient, responsable de ses gestes. Un homme plus juste… un homme juste.

— Assieds-toi, la tête me tourne. Je comprends rien, tu vas trop vite!

— Maman, tu m'as déjà accusé de bafouer les droits des femmes, ce sont tes paroles exactes, eh bien, je vais me joindre à un groupe d'hommes qui réfléchissent à leur masculinité, des hommes qui veulent devenir égalitaires.

— Féministes?

— Si tu veux. Mais je suis pas encore rendu là, mom. Ça va être dur, le changement, mais je peux plus vivre comme ça. C'est rendu que les hommes violents me font honte. Quand j'entends par exemple que des policiers blancs traitent des femmes autochtones comme si elles étaient rien, je peux pas laisser faire ça. Je sais qu'il faut que ça change, et pour ça, il faut que chaque homme s'y mette pour qu'on ait une planète où les deux sexes sont égaux.

— Comment tu vas faire ça, mon petit gars?

— Je vais commencer par changer, moi, puis après, j'espère devenir un modèle à suivre. Comme c'est là, nos modèles sont machos, plus ou moins. Je voudrais comme les femmes lancer un mouvement #MeToo, mais pour réveiller les hommes… Je vais essayer après m'être changé moi-même, grâce à l'aide de mon groupe. C'est mieux, hein, mom?

— Je suis tellement fière de toi.

Julie en pleure de joie. Laurent prend sa mère dans ses bras.

— Je suis fier de moi. C'est pas fait, mais je vais y travailler. Je suis pas seul. Je vais faire partie d'une gang de gars qui se questionnent sur eux.

Elle se détache de lui, le regarde dans les yeux.

— Mon chéri, je sais pas si c'est dans l'air du temps, mais ton père a pris une retraite hâtive, il veut profiter de sa famille, se rapprocher de toi. J'aimerais ça que tu lui parles de ton groupe, ça lui ferait peut-être du bien que tu l'emmènes avec toi.

— Mom, ça me prend tout mon courage pour m'embarquer dans le remaniement de ma tête, demande-moi pas de convaincre mon père. Il est trop vieux pour changer.

Sur ce, il embrasse sa mère et retourne chez lui, léger, si léger.

Il ne peut pas se douter que ses derniers mots, «Il est trop vieux pour changer», c'est le coup de pied dans le derrière dont Paul a besoin pour amorcer une démarche auprès d'un psychologue.

Il ne veut surtout pas fréquenter le même groupe que son fils.

Quant à Léa, qui a appris par Julie la promesse de changement de son agresseur, elle n'est pas prête à laisser tomber l'accusation de viol. Elle ne le croit pas capable de changer. Elle a perdu confiance.

Laurent sait qu'il aura du travail à faire pour convertir ses amis. Ce sont des misogynes finis, sauf Nick peut-être. Il ouvre son téléphone pour l'appeler et y découvre un texto de ce dernier…

Ma femme veut me laisser si je ne change pas. Au secours !

Laurent répond aussitôt :

On change pas pour les autres, mais pour soi. Si ça te tente, voici le lieu de rencontre et l'heure. À mercredi !

Remerciements

Je dois ce livre à tant de gens!

À vous, les femmes de tous âges, qui m'appuyez dans ma lutte pour l'égalité entre les femmes et les hommes, merci!

À vous, les hommes, qui commencez à être tannés qu'on vous confonde avec des agresseurs sexuels (je sais que vous me lisez en grand nombre). C'est avec beaucoup d'amour pour vous que j'ai écrit ce livre, merci!

À tous mes lecteurs, tous genres confondus, merci!

À Donald, mon homme, qui me fait la vie douce pour que je puisse écrire, merci! Merci!

À mes enfants, petits-enfants et arrière-petits-enfants, pour qu'ils vivent dans un monde plus juste donc plus égalitaire. Merci, et plein de becs virtuels!

À Johanne Guay, mon éditrice, qui me remet en question, me secoue, m'encourage depuis de longues années comme éditrice et comme amie. Merci mille fois, tu m'es nécessaire.

À Michel Dorais, qui me conseille, rajuste mes idées et corrige mes préjugés. Merci de m'aider de ton savoir !

À André Monette, mon complice de toujours. Merci d'être là !

À l'équipe de Groupe Librex, qui est toujours là, à m'appuyer. Merci la gang !

À Deborah Trent et à son escouade de travailleuses sociales, qui me surveillent pour que je n'écrive pas de faussetés sur le viol. Merci !

À Jean-Marc Bouchard, qui m'a appris que les groupes d'hommes étaient une solution à une plus grande égalité. Merci !

Et à Patricia Huot, mon attachée de presse, qui s'assure que ce que j'écris est lu. Merci de tout cœur pour toutes ces années de collaboration !

Bibliographie

Bertrand, Janette et Dorais, Michel, *Vous croyez tout savoir sur le sexe ?*, Montréal, Libre Expression, 2018.

Paquette, Brigitte, *La Déferlante #Moi aussi – Quand la honte change de camp*, Saint-Joseph-du-Lac, M Éditeur, 2018.

Turgeon, Joane, *Comprendre la violence dans les relations amoureuses*, Montréal, Trécarré, 2018.

Zaccour, Suzanne, *La Fabrique du viol*, Montréal, Leméac, 2019.

f Restez à l'affût des titres à paraître chez
Libre Expression en suivant Groupe Librex :
facebook.com/groupelibrex

libreexpression.com

Cet ouvrage a été composé en ITC New Baskerville 12,25/17
et achevé d'imprimer en septembre 2020 sur les presses
de Marquis imprimeur, Québec, Canada.

Imprimé sur du papier 100% postconsommation,
fabriqué avec un procédé sans chlore et à partir d'énergie biogaz.